D0910007

Tullos

TIEMPO VIEJO Y TIEMPO NUEVO

COLECCIÓN AUSTRAL
N.º 140

ESPASA
S A
C
CALPE S.A.

GREGORIO MARAÑON

TIEMPO VIEJO
Y
TIEMPO NUEVO

NOVENA EDICIÓN

ESPASA-CALPE, S. A.

Ediciones especialmente autorizadas por el autor para la

COLECCIÓN AUSTRAL

Primera edición: 16 - VII - 1940
Segunda edición: 12 - XI - 1942
Tercera edición: 1 - VIII - 1944
Cuarta edición: 18 - VI - 1947
Quinta edición: 11 - XII - 1947
Sexta edición: 30 - VI - 1953
Séptima edición: 14 - IX - 1956
Octava edición: 25 - XI - 1960
Novena edición: 21 - XII - 1965

N.º Rgtr.º: 4.082—65
Depósito legal: M. 17.969—1965

Printed in Spain

Acabado de imprimir el día 21 de diciembre de 1965

Talleres tipográficos de la Editorial Espasa-Calpe, S. A.
Ríos Rosas, 26. Madrid

A mis amigos de «La Nación»,
de Buenos Aires.

ADVERTENCIA

Los Ensayos que reúno aquí, bajo el título "Tiempo Viejo y Tiempo Nuevo" —es decir, Tiempo Eterno— están redactados con temas que me sirvieron para dar distintas conferencias en el Ateneo de Pamplona, en la Universidad Católica de Lima, en la Universidad de Arequipa, en la Universidad de San Andrés de La Paz, en el Consorcio de Médicos Católicos de Buenos Aires, en la Sociedad de Amigos del Museo de Bellas Artes de esta misma ciudad y, finalmente, en el Círculo Español de Montevideo.

Me importa hacer notar que el Ensayo sobre Huarte fué pronunciado en Pamplona el año 1933. Tal vez para algunos desocupados sea interesante —como lo es para mí— cotejar esta fecha con la de hoy. Porque esas fechas quieren decir que, muchas veces, si la conducta de los hombres ha parecido cambiar, es porque, precisamente, no ha cambiado, cuando todo cambiaba a su alrededor. El tronco que se lleva, arrastrado, la corriente tal vez crea que el árbol que sigue creciendo en la orilla anda hacia atrás.

G. MARAÑÓN.

París, 1940.

ADVERTENCIA DE LA PRESENTE EDICIÓN

En esta edición, y en las sucesivas, si ha lugar a ellas, de Tiempo Viejo y Tiempo Nuevo, *he sustituído el primero de los ensayos, titulado* El secreto del Greco, *por la* Rapsodia de las esmeraldas, *que venía figurando en mi libro* Elogio y nostalgia de Toledo. *Esta* Rapsodia *encaja estrictamente en el sentido de la presente colección de ensayos. En cambio,* El secreto del Greco *tiene su lugar propicio en el libro dedicado a la Ciudad Imperial. Son trasiegos sin importancia; pero los autores, eufóricamente, creen que cuanto se refiere a sus libros debe ser explicado; y, además, están, o suponemos que están, vigilando los bibliófilos, que de estas cosas leves se ocupan; y no hay por qué llevarles la contraria.*

G. MARAÑÓN.

Toledo, marzo 1945.

RAPSODIA DE LAS ESMERALDAS

La historia de las piedras.

Cada uno tiene sus manías —me dijo mi amigo una de las tardes inacabables de la ausencia— y la mía ha sido la historia de las piedras preciosas. Las piedras preciosas no sólo tienen quilates y leyendas, sino también historia. El mundo ignora la cantidad de sucesos memorables cuyo oculto motor ha sido la ambición de poseer cualquiera de esos cristales maravillosos que alucinan a la vanidad de las mujeres o a la codicia de los hombres. Poseo una regular biblioteca sobre la crónica y la teurgia de las piedras preciosas y una copiosa colección de notas que he ido recogiendo desde que tengo esa preocupación, hace ya muchos años. Una preocupación es como un sentido nuevo que se abre en nuestro espíritu y que nos permite percibir mil cosas, ignoradas para el que pasa distraído al lado del problema que nos obsesiona.

Espero poder vivir lo bastante para escribir y publicar cuanto sé. Hasta ahora, la mayoría de mis datos son rigurosamente inéditos. No obstante, es tan singular esta historia y se refiere tan entrañablemente a nuestra patria remota, a España, que por excepción se la voy a referir.

De Bagdad al Tajo.

No sé si habrá usted oído hablar de la sultana Zobeida. En todo caso habrá usted leído *Las mil y una noches*. Zobeida era la sultana real —maravillosa escultura de carne y hueso— de *Las mil y una noches*, esposa del famoso señor de Bagdad, Harun-Ar-Raxid, allá en el siglo VIII de nuestra Era. En las fiestas, de lujo increíble, de su palacio, apenas exageradas por la leyenda inmortal, Zobeida se presentaba exhibiendo un ceñidor o cinturón maravilloso, cuajado de perlas y diamantes entremezclados con las estrellas azules y rojas de innumerables zafiros y rubíes; el broche de esta joya magnífica lo formaban dos esmeraldas inmensas, pero de luz más prodigiosa todavía que su extraordinaria magnitud. A veces, el ceñidor oprimía, sobre la cintura breve de Zobeida, las telas, tejidas como por manos aladas, de sus túnicas; otras noches, brillaba sobre la nieve tersa de su carne. Los poetas árabes cantaron muchas veces la sin igual belleza de la joya, en los mismos versos con que querían pintar, sin conseguirlo, la hermosura sin par de la sultana.

Zobeida murió, y heredó, con sus riquezas, el ceñidor, Alamin, su hijo; y las favoritas de éste se enorgullecieron, más aún que de serlo, de lucir sobre su cuerpo el rosario de piedras preciosas, más famoso que las mezquitas de Bagdad.

Mas un día fatal, las turbas iracundas de los bárbaros invadieron el Alcázar. La sangre de Alamin se mezcló con el agua de los surtidores; y su tesoro, custodiado por negros gigantes, partió en una nave, cuando el tiempo fué propicio, hacia la Corte del Califa, que en Córdoba, al borde del ancho río rumoroso, resucitaba el esplendor de Bagdad.

El ceñidor de Zobeida volvió a brillar en la Corte de los Omeyas, en el Andalus español. En las noches en que la luna asomaba, al pie de Sierra Morena, entre las franjas de las palmeras y los naranjos, fulgieron otra vez las esmeraldas, en la penumbra de los jardines. Y las oprimieron, sobre la piel blanca de sus novias, los brazos de los príncipes sabios y sensuales. Y oyeron —porque las piedras preciosas oyen y ven— oyeron el rumor entrecortado de la pasión de aquellos hombres refinados, con la que se iba, a chorros, el antiguo vigor guerrero de los califas.

Pasó la joya fabulosa de un rey a otro y de una a otra favorita. Hasta que la gran Corte andaluza, tras el punto cenital de su gloria, con Almanzor, se desplomó. Con el mismo ahinco que los castillos y las ciudades, se disputaron el ceñidor los jefes victoriosos que hicieron el reparto del Imperio. Una noche, el tesoro traspuso las gargantas de Despeñaperros. Lo custodiaba un ejército de lanzas. A los pocos días llegó a la Corte de Toledo, en la meseta de Castilla, abierta, como un libro claro y prudente, al sol.

Su nuevo palacio, en el corazón de España, no tenía nada que envidiar a los antiguos del Oriente y de Andalucía. Era el Alcázar de la Huerta del Rey, en la vega toledana, poblada de jardines y abrazada por la ancha curva del Tajo, que parece tenderse a descansar antes de acometer el asalto de la roca en que asienta la ilustre ciudad. Aun hoy perduran los restos de las cámaras regias, en las que las esclavas ceñían la joya al cuerpo de su dueña, antes de salir, en las noches de verano, a las fiestas de las orillas del río. En el agua remansada del Tajo, brillaron otra vez, como grandes estrellas verdes, las esmeraldas de Zobeida.

En una de estas fiestas vió el ceñidor, por vez primera, Alfonso, el príncipe cristiano, desterrado entonces en Toledo: el que con tiempo había de ser monarca de Castilla. Acogido a la hospitalidad del rey moro, el nobilísimo Mamum, compartió con él la vida fastuosa de la Corte toledana bajo el Islam. Se maravilló de la sabiduría de sus geógrafos, del arte de sus poetas, del lujo de sus Alcázares; pero, sobre todo, de la joya, legendaria ya: el ceñidor que cegaba la ambición de los reyes y les infundía, a la vez, un maleficio irreparable.

El tesoro escondido.

El viejo Mamum, dejó, al morir, sus ciudades y su tesoro a su nieto Alcadir. Era éste, joven y dulce; amaba mucho a su mujer, de la casta mejor de los Omeyas, y tenía ya, en ella, sucesión. Pero el reinado de Alcadir fué un continuo dolor. Combatido por otros reyes musulmanes y por parte de sus propios súbditos descontentos; sujeto a la protección exigente del monarca de Castilla, Alfonso VI, el antiguo huésped de su abuelo, Alcadir vivía en perpetua zozobra. El cinturón —la joya más preciada de sus tesoros— estuvo largo tiempo escondido, a salvo del peligro que se cernía sobre el triste rey, cada minuto de cada noche.

Una vez, el peligro fué una realidad. El rey moro de Badajoz —se llamaba Motawakkil— llegó, en sus correrías triunfantes, hasta Toledo. Alcadir apenas tuvo el tiempo preciso para escaparse. Solo y a pie, con la sultana y con su hijo, anduvo dos jornadas, escondiéndose durante el día, hasta encontrar una mula y un guía que le condujo con los suyos, por caminos apartados, hasta Cuenca, la única ciudad que le era fiel.

El conquistador se instaló en el Alcázar toledano y buscó afanosamente los tesoros y sobre todo el cinturón de Zobeida, cuya riqueza sabían los príncipes árabes desde las canciones de su cuna. Equipos de esclavos cavaban día y noche la tierra de los jardines y removían las losas del Palacio. Nada pudieron encontrar. El tesoro había quedado oculto en una de las cuevas recónditas que corren hasta el río, en las entrañas del peñón donde asienta la ciudad. Sólo Alcadir conocía el secreto de este subterráneo, de antigüedad fabulosa.

Alcadir, desde Cuenca, pidió auxilio al único amigo de su dinastía, al rey Alfonso, y éste se lo dió cumplidamente. Las gentes de Castilla cayeron sobre Toledo; y pocas semanas después, Motawakkil, el rey intruso, era expulsado de la ciudad del Tajo. Alcadir, el príncipe legítimo, volvió otra vez a ocupar sus Alcázares.

"¿Qué debo darte?", preguntó Alcadir a su salvador. Alfonso tenía clavada en el recuerdo la luz de las dos esmeraldas que viera una noche lejana sobre la cintura de la esposa de Mamum; y respondió a su protegido: "Muéstrame los tesoros de tu abuelo y escogeré una de sus joyas." El taimado Alcadir hizo que sus esclavos más fieles presentasen las arcas colmadas de tesoros. El rey de Castilla buscó el ceñidor de Zobeida. No estaba allí. "¿Dónde está lo que falta?", preguntó Alfonso, iracundo. "Esto es todo lo que hay", respondió el toledano. "¿Y el cinturón de la sultana?" "Lo habrán robado mis enemigos; yo tampoco sé dónde está." El castellano apretó los puños y pidió, en su lugar, la mejor fortaleza fronteriza a la parte de Aragón. Alcadir la cedió en el acto.

Y aquella misma noche, ya solo, abrió la puerta del subterráneo y estuvo muchas horas, a la luz de una antorcha, extasiado, viendo brillar las piedras del cinturón que estimaba más que todos sus castillos fronterizos, más que su reino entero.

La cabeza en la pica.

Nadie volvió a ver la joya. Años después, Alcadir perdió otra vez, y ahora para siempre, a Toledo. Lo ganó su antiguo protector, Alfonso, rey de Castilla y Emperador. El príncipe destronado fué enviado por su propio vencedor a reinar en Valencia. Salió, con unos años antes, de la ciudad insigne, entre el dolor y el desprecio de sus súbditos y la befa de los conquistadores. Su mujer había muerto. Iba completamente solo y tan vencido que acabó por inspirar piedad. El mismo Alfonso le dió una escolta mandada por Alvar Fáñez, su mejor capitán después del Cid, que entonces estaba desterrado. Así llegó Alcadir a Valencia.

Lo que nadie supo fué que unos días antes de su partida, unos mercaderes oscuros —gente suya, a prueba de traiciones— habían sacado sobre sus asnos, escondido, lo mejor del tesoro real. Uno de estos hombres llevaba, él mismo, ceñido bajo sus harapos, el cinturón de las esmeraldas. Pusieron todo en un lugar seguro, fuera de los caminos frecuentados. Y cuando Alcadir estuvo firme en Valencia, los mismos mercaderes entraron, disimulando el tesoro, en la ciudad de las huertas opimas. Otra vez el tesoro quedó seguro. Los que llegaban rezagados de Toledo, contaron que Alfonso VI buscaba inútilmente algo en los escondrijos del Alcázar; Alcadir los escuchó sin pestañear.

Sin embargo, en Valencia, el rumor de que estaba allí la joya cantada por los poetas había corrido, no se sabe cómo, por la multitud. Nadie la había visto. Nadie sabía exactamente dónde estaba. Pero en los zocos se hablaba de las piedras maravillosas, cuyo valor hacían aún más fabuloso el misterio y la leyenda.

El reinado de Alcadir en Levante fué una continua turbulencia. Era el sino de las esmeraldas. El Cid protegía a Alcadir; mas una sorda oleada de odio se alzaba contra él, movida por resortes misteriosos, desde el día mismo que entró en la ciudad. Lleno de temor, el pobre príncipe comenzó a repartir sus tesoros por los castillos de la provincia en cuya fidelidad confiaba; y sólo guardó con él, en un arca fortísima, la parte insigne de las riquezas: unos puñados de piedras magníficas y el ceñidor.

Una mañana, el motín estalló. Lo capitaneaba un Cadi de estirpe ilustre. Se llamaba Ben Yehaf y la gente le decía "El Zambo". Era este Cadi del partido adverso al Cid y supo fomentar hábilmente el descontento de los valencianos que no se allanaban a la protección del capitán cristiano. Ben Yehaf meditó adueñarse de la ciudad, sustituir a Alcadir y acabar con la tutela vergonzosa del Campeador. Pero, sobre todo, quería apoderarse del tesoro, cuya leyenda corría de boca en boca y no dejaba en paz a su codicia.

La plebe sublevada saqueó el Alcázar. No encontraron a Alcadir. Una vez más el príncipe hubo de esconderse para no perecer. Unas horas antes había salido del palacio, disfrazado con el traje de una de sus mujeres, a las que se permitió que se pusieran en salvo antes de entregar el edificio al saqueo de las turbas. Bajo la túnica femenina se había puesto el ceñidor.

Los fugitivos llegaron bajo una lluvia torrencial, empapados y muertos de pavor, a una residencia que el rey tenía en las afueras, para recreo y baño de las mujeres de su harén. Allí se creyó seguro. No advirtieron, ni él ni sus acompañantes, que un hombre furtivo les seguía. Era el hijo de un moro notable que mandara ajusticiar Alcadir, cuando reinaba en Toledo. Escondido entre los setos, vió el moro implacable llegar a su enemigo, entre las hembras anhelantes, al asilo recóndito. Una ventana abierta dejaba libre un ángulo de la pequeña estancia donde el rey fugitivo se despojó de sus túnicas de mujer. El cinturón enjoyado brilló un instante sobre la piel jadante de fatiga y de miedo. Lentamente, lo desciñó de su cintura, y antes de ocultarlo bajo las telas del lecho, lo besó con unción.

La sombra que espiaba afuera se deslizó hacia Valencia. Unas horas después volvía con un grupo de hombres armados y coléricos. Aun no había empezado a amanecer.

El asalto de la casa de las mujeres duró unos minutos. Estalló en el silencio una gritería de pájaros de presa y, a poco, un alarido de horror se ahogó en el gorgoteo de la sangre que inundaba la garganta del rey, segada por un tajo certero. Por la huerta florida se dispersaron las enloquecidas mujeres. Y cuando clareaba, una cabeza, aun contraída de horror, volvía hacia la ciudad, en lo alto de una pica. Así acabó Alcadir.

Ben Yehaf, cuando llegó la tarde siguiente y la multitud, cansada y ronca, se retiraba de las calles, mandó que tirasen la egregia testa, empolvada y sangrienta, en la alberca de su propio huerto. Desde la ventana vió hundirse en las aguas verdes el despojo profanado. Sus manos acariciaban entretanto —al fin— el ceñidor maldito.

El cuerpo exangüe del muerto fué arrojado a un muladar. Allí estuvo tres días. Nadie se atrevía a acercarse. La cuarta noche, un moro andrajoso —el mismo que sacó escondidas las joyas de Toledo— se acercó al cadáver, que hedía a distancia; lo envolvió piadosa y pobremente en una estera y allí cerca lo enterró.

El Cadi en el tormento.

La joya resplandeciente tenía un nuevo dueño. Pero una vez más, desde aquel instante, la sentencia del dueño estaba escrita.

Duró poco tiempo el dominio de Ben Yehaf en Valencia. Desgraciadamente para él, su enemigo de ahora no era otro príncipe moro, codicioso y débil, sino el Cid Campeador, el guerrero invencible de la cristiandad. Dos años más tarde, Valencia, después de un sitio de largos meses, se rendía al héroe castellano. Por las puertas de la ciudad fueron saliendo las tropas árabes, vencidas y hambrientas. El jefe moro entregó todas sus riquezas al vencedor. Mas antes de la rendición había ocultado el sartal maravilloso de Zobeida.

El Cid, contagiado de la atracción legendaria del ceñidor, lo buscó en todas partes. No estaba entre el tesoro innumerable. Llamó entonces a Ben Yehaf y le hizo jurar que no lo ocultaba. El moro juró. Tres veces afirmó, ante el capitán de las barbas luengas, que ignoraba dónde estaba el ceñidor. El Cid, propicio a la lealtad, le creyó, y Ben Yehaf fué conservado en su puesto de Cadi de la ciudad vencida. Sólo algunos de los presentes advirtieron que cuando el moro extendía su brazo para jurar, la mano le temblaba de una emoción que no era la del miedo. Cuando acabó la ceremonia, los capitanes del Cid advirtieron a éste del posible perjurio. El Campeador no dijo nada; pero ni una noche, en adelante, dejó de pensar en el sartal. La posesión de la joya le importaba casi tanto como la de Valencia y su huerto. Desde aquel día, sus espías no descansaron.

Pronto pudo convencerse de que "El Zambo" había mentido. Denuncias viles de algunos moros vengativos, vejados por antiguas violencias de Ben Yehaf, aseguraron al Cid que el ceñidor y otras riquezas estaban ocultos, en lugar secreto, en los alrededores de Valencia. El Cadi se sintió celado y el terror le obsesionó. Velaba, angustiosamente, la noche entera. Cada rumor le parecía el paso de las justicias del Cid que venían a pedirle cuentas de su perjurio. El instante temido llegó. La puerta de su cámara se abrió una tarde, de golpe, y los rudos guerreros de Castilla le sacaron, con las manos atadas, ante la absorta multitud.

Conducido ante el capitán castellano, negó de nuevo poseer el tesoro. No le creyeron esta vez. Fué llevado al tormento y allí el dolor de su carne muelle y de sus huesos ablandados por la sensualidad le hicieron confesar. Su propia mano temblorosa escribió la relación de las joyas —el ceñidor y otras muchas— y el lugar en que las ocultaba.

Le ajusticiaron a la mañana siguiente. El suplicio le dignificó. Murió heroicamente, pidiendo a Alah perdón y glorificándole. Sus gritos volaron sobre la población aterrada y llegaron hasta el

Alcázar, donde Rodrigo de Vivar y Jimena y sus hijas, rodeados de sus capitanes, contemplaban con arrobo y con recelo el fulgor del sartal de la sultana de *Las mil y una noches*.

Valencia a lo lejos.

Por vez primera era su dueña, una mujer cristiana. Jimena, austera, envejecida por los años y por las largas horas de sufrir las ausencias del héroe desterrado, no sintió un solo instante la vanidad de ceñirse el prodigioso cinturón. Un temor supersticioso le apartaba, además, de aquellas joyas relucientes, empañadas tantas veces por el pecado y por la sangre. El Cid, por cuya mente cruzaban sueños imperiales, hubiera querido ver a Jimena —la única mujer de su varonía heroica— adornada con la joya de la leyenda, que su brazo invencible conquistó. No lo pudo lograr; Jimena, con un gesto breve, la apartaba de sí.

Un día, jugando, María, la hija menor de Rodrigo, apareció ante los padres con el ceñidor sobre una túnica morisca riquísima, encontrada en el botín del Cadi ajusticiado. Jimena, pálida de miedos remotos, la rogó que se vistiera otra vez, como siempre, con la noble sencillez de las doncellas de Castilla. Cuando su hija salía de la cámara para obedecerla, los labios de su madre rezaban en silencio.

María y su hermana fueron mal casadas. Y unos años después moría, todavía joven, Rodrigo, el de Vivar, el que por nadie fué vencido: ni por los enemigos, ni por la ingratitud, ni por la envidia. Sólo el destino —Dios— le pudo abatir.

Jimena regresó a Castilla cuando la pérdida de Valencia era ya inevitable. Al volverse por última vez hacia la Vega, vió, allá a lo lejos, el polvo de los ejércitos almoravides que avanzaban hacia la ciudad incendiada y vacía. Sin quererlo, pensó en las piedras malditas. Delante de ella iba, en angarillas forradas de paño negro, el cadáver del Campeador. Y más adelante aún, entre la escolta de los mejores soldados, el tesoro del héroe que se incorporaba, por la voluntad del muerto, al de los ingratos reyes de Castilla. Las gentes que veían pasar la comitiva miraban con avidez los cofres herrados. Sabían que en uno de ellos iba el cinturón, el de las mil y una noches de delirio y de dolor.

El cadalso de Valladolid.

Durante más de tres siglos la mágica cintura de caderas estuvo encerrada en las arcas secretas de los palacios reales castellanos. Ninguna de las reinas osó adornarse con ella. Sobre la leyenda de su lujo magnífico pesaba la leyenda de su maldición.

Las gentes empezaron a olvidarse de la joya. En

los versos de los juglares moros se aludía alguna vez al tesoro de Zobeida que los cristianos arrebataron, como tantas otras riquezas y tierras y ciudades, que el Islam ya no recobraría jamás. En los reinos cristianos no volvió a hablarse del tesoro que conquistó el Cid. Los poetas que cantaron la epopeya del héroe no dedicaron un solo verso al maravilloso ceñidor.

Reinaba Juan II, en Castilla, hacia la mitad del siglo XIV, cuando un hombre de sino trágico y de ambición inexhausta apareció en la vida pública. Se llamaba Don Alvaro de Luna. Tenía genio de conductor y de político e ímpetu de hierro, que hendía, como el cuchillo afilado la blanda cera, la voluntad degenerada del rey. Le bastaron unos años para ser dueño de todo; desde los pensamientos del monarca hasta los últimos señoríos de su reino. Nadie se movía, si no se contaba con él. Su sed de poder no tenía límites ni tampoco su sed de riqueza. Las rentas y los tesoros que reunió no se podían contar. Y cuando ya no tuvo nada que esquilmar, en tierras y oficios, pensó apoderarse de los tesoros de su señor. Don Alvaro sabía, una por una, las joyas que componían ese tesoro. Uno de los poetas árabes de su corte de Condestable, más lucida y numerosa que la del rey, le había hablado de la tradición remota del ceñidor de las esmeraldas.

Un día, como contador de los recursos del reino, abrió los cofres reales y sus manos insaciables fueron palpando los diamantes y las perlas del joyel. Las dos esmeraldas inmensas relucían como nunca en los sótanos del Alcázar segoviano. Desde aquel día vivió alucinado. El ceñidor de Zobeida era la última riqueza, y la más grande, que le faltaba poseer.

Al fin, se decidió. Tramó con sigilo su plan. Y una vez más, al cabo de los siglos, el cofre misterioso viajó durante la noche, guardado por las gentes del Condestable, a las que nadie osaba detener ni preguntar. Traspusieron el Guadarrama y, a poco, el tesoro quedaba enterrado debajo de una losa, bien disimulado, entre dos pilares de la bóveda del Alcázar de Madrid.

Don Alvaro durmió, cuando lo supo, satisfecho en su codicia. Pero a media noche, una angustia desconocida le despertó. No recordaba lo que había soñado; mas no pudo volver a dormir hasta que amanecía. Tenía la garganta oprimida como por una cuerda o como por el filo helado de una espada.

La tempestad del descontento contra el poder absoluto del Privado, largo tiempo soterrada, empezaba a vislumbrarse aquí y allá. Acudía Don Alvaro con mano dura a cada brote de protesta. Pero una hendidura nueva se abría al lado de la que él cerraba con sangre. Después, la revuelta llegó a la misma Corte. Los nobles, uno a uno, formaban contra él. Al fin llegó hasta el rey. No hay nada más temible que un rey débil cuando, un día, le gana la cólera. Don Juan II, ese día, decidió la muerte de su ministro y amigo. Sus consejeros salieron de la Cámara pasmados de la fortaleza de su mano que, por vez primera, no tembló al firmar una sentencia capital.

Pocos días después, el pueblo desfilaba ante el cadalso levantado en una plaza de Valladolid. Del garfio siniestro colgaba, goteando su última sangre altanera, la cabeza que hizo humillarse a todas las cabezas de Castilla. A la misma hora, la justicia del rey, guiada por un confidente, rodeaba a los obreros que removían las losas del Alcázar de Madrid. El cinturón magnífico y maldito apareció de nuevo, sediento de tragedia y de dolor.

Era Don Juan muy supersticioso y no quiso ver la joya, que se imaginaba destilando sangre culpable; pero de culpas que sabía que eran suyas también. El sueño huyó de su cabeza débil. Su realeza se tambaleaba sin la sombra del valido ajusticiado. Desde su muerte, no podía vivir. La nostalgia del dogal del Condestable era más fuerte que lo fuera, mientras le apretaba, el dogal. Los médicos no le sabían calmar. Hizo entonces venir a un adivino y éste le aconsejó deshacer el funesto ceñidor.

Los más hábiles joyeros de Segovia se encargaron de arrancar las piedras de su sostén de malla de oro. Eran muchas, muchas. Fueron contadas, clasificadas, pesadas. Su valor era inmenso. Sobre todo el de las esmeraldas, que brillaban sobre la mesa del diamantista como dos ojos vivos recién arrancados de sus órbitas.

El tesoro se dispersó. Las piedras las compraron los nobles o los mercaderes enriquecidos. Su pista se perdió, de garganta en garganta de mujer. Sólo quedaron las esmeraldas. Valían demasiado dinero para los tiempos duros que corrían por Castilla; y hasta unos años más tarde, el tesoro real no pudo deshacerse de ellas. Las adquirió un judío genovés que recorría España a la caza de los despojos del lujo, deshecho por la anarquía. Ocurrió esto cuando reinaba ya Don Enrique IV, el Impotente.

Los ojos de la Emperatriz.

Las piedras verdes y luminosas fueron a Italia. Luego, no se sabe cómo, pasaron a Portugal y se incorporaron al tesoro de la Corona lusitana. En 1526 figuran en la relación de los presentes magníficos con que fué alhajada la infanta Isabel, la que iba a ser Reina de España y Emperatriz del Imperio más dilatado de la tierra.

Aquella princesa pálida y rubia, de belleza maravillosa y frágil, llevaba pendientes del cuello las dos esmeraldas cuando un día de febrero, que anunciaba ya la primavera, hizo su entrada en Sevilla, entre el fervor de las gentes y el ondear de infinitas banderas y estandartes. Las gentes hablaron de la belleza de las esmeraldas con tanto entusiasmo como la de los ojos verdes de la novia egregia.

Las dos piedras brillaban también sobre la infanta la noche de sus bodas, unas semanas después. Las manos del César las acariciaron temblando de amor. Y unos años después, sus mismas manos las recogieron del cadáver de la Emperatriz mientras las campanas de la Catedral de Toledo, allí cerca, doblaban por el duelo imperial, que era un duelo del mundo.

Las dos piedras verdes ya no se separaron, nunca más, del triste y poderoso monarca. Viajaron con él, en una arqueta donde encerraba los recuerdos sagrados de Isabel. Y ni una sola noche dejó de contemplarlos, en su vida de afán universal. Le acompañaron después en su retiro de Yuste. Allí, en la paz premortal, todas las tardes, sentado en el poyo de ladrillos de su balcón, veía venir la noche por la llanura extremeña, transida de patética severidad. Frente a él, hacía colocar en un caballete el retrato de la mujer, eternamente viva en su alma, que pintara Tiziano; mientras sus manos acariciaban las pupilas inextinguibles de las dos esmeraldas.

Luis de Quijada, su fiel servidor, llevó personalmente las piedras sagradas a las manos de Don Felipe II, cuando el César, voluntariamente destronado, murió para esta vida. Esa era la voluntad del Emperador. Su hijo las guardó religiosamente, hasta los días gloriosos de Lepanto, en que fueron regaladas, con otros recuerdos preciosos del César, al nuevo héroe de la Cristiandad. Don Juan de Austria, ebrio de una gloria fabulosa, murió también unos años después.

Don Rodrigo en la horca.

No he sabido por qué manos pasaron las esmeraldas hasta que aparecen, en el reino siguiente, en las del valido de Felipe III, el duque de Lerma. La rapacidad de éste iba más allá de todos los respetos. Es, por lo tanto, posible que las extrajera del tesoro real, en alguna de las infinitas dádivas fabulosas con que el simplicísimo monarca pagaba a su ministro la presteza con que éste le ayudaba a deshacer el Imperio. No lo he podido averiguar con exactitud. Es posible también que las esmeraldas no volvieran nunca al regio patrimonio y que, rodando por manos diversas —amantes, mujeres, mercaderes, avaros— llegaran hasta el poderoso ministro. Lerma no conocía su historia. Hacía mucho tiempo que cuantos poseían las esmeraldas ignoraban su influjo siniestro. Mas un presentimiento le hizo guardarlas con misterioso temor. No consintió jamás que la duquesa, inflada de vanidad, las luciera en sus fiestas ostentosas. Y las destinó a terminar, con el producto de su venta, la cúpula de la iglesia de su palacio, en su feudo de Lerma, en la vasta llanura burgalesa.

Mas no se llegaron a vender. Un día, cuando su estrella empezaba a declinar, tuvo que premiar con algo extraordinario un servicio secreto del hombre de su confianza. Le hubiera dado un reino para medir el valor de su gratitud y le dió, en un estuche de terciopelo rojo, lo mejor de sus riquezas incontables. Su servidor era, como él, insaciable para todas las codicias; y le brillaron los ojos negros y rapaces cuando, a solas, sobre su bufete lleno de papeles, abrió el estuche y aparecieron las dos esmeraldas.

Su nuevo dueño se llamaba Don Rodrigo Calderón. Unas semanas más tarde, en la plaza Mayor de Madrid, el verdugo mostraba, ante la aterrada multitud, su cabeza. Le fueron confiscados sus bienes innúmeros. En su inventario, al lado de otras joyas, de los títulos, de las rentas, de las tierras, de los libros preciosos, de los amuletos, aparecen dos esmeraldas de incalculable valor.

Reinaba entonces sobre la voluntad del Rey un nuevo valido, el conde-duque de Olivares. En una de sus audiencias matutinas —aun con la luz del alba— recibió piadosamente a los herederos del personaje degollado, que paseaban por Madrid su pobreza y la popularidad que les dió el temple y el orgullo de Don Rodrigo en el cadalso. El conde-duque les prometió devolverles una parte de las riquezas del muerto. Les entregó, a los pocos días, dos esmeraldas.

La otra Emperatriz

Durante más de un siglo desaparece de nuevo el rastro de las piedras. Varias veces he encontrado alusiones a esmeraldas magníficas en las relaciones de dotes ilustres o en noticias y leyendas de aventuras, ciertas, dudosas o inventadas. Pero no he podido comprobar que fueran las del trágico ceñidor de Zobeida. No quiero contar más que cosas ciertas.

Esta certidumbre no aparece hasta el año 1800. En esta fecha estaba en Madrid una dama francesa, la marquesa de Lage de Volude, emigrada de la Revolución. Su marido se había nacionalizado español y había logrado de Carlos IV un destino en las Antillas, donde murió a poco de llegar. La viuda quedó unos meses en la Corte. Era íntima amiga de la condesa de Montijo y, a través de la influencia de ésta, intrigaba para lograr la ayuda de los españoles a la restauración francesa. En la corte del complaciente Carlos IV, y con la protección de su valido y todopoderoso, el Príncipe de la Paz, encontró una acogida favorable. Muchos señores, nobles y cristianos, aportaron su dinero para la lucha contra la revolución. La condesa de Montijo buscó entre sus joyas las más valiosas para la santa empresa. Tenía dos extraordinarias esmeraldas y las unió generosamente al tesoro que reunía la francesa. Eran las esmeraldas de *Las mil y una noches.*

No se sabe por qué extraños azares pasaron las dos piedras durante las andanzas de la marquesa de Lage por Europa, llena de peligros y de intrigas. La revolución siguió su curso natural: es decir, surgió el dictador. El dictador siguió su curso natural: es decir, le derribaron. La restauración vino; y detrás, otras conmociones; y, al fin, otro Emperador.

Y este Emperador se enamoró de una mujer española, hija de una condesa de Montijo. Entre los regalos de boda de Napoleón III figuran dos esmeraldas de belleza increíble que volvieron a lucir sobre el cuello impoluto de otra Montijo, que era ya la Emperatriz de Francia. Ni ella ni las mujeres que la veían, pálidas de admiración o de envidia, en las fiestas de París, sabían el sino tremendo de las piedras verdes.

Las esmeraldas fueron testigo de sus breves glorias de leyenda romántica y de sus largos dolores de gran tragedia antigua. Unos años más tarde colgaban sobre el pecho estremecido de la Emperatriz cuando logró escapar de las turbas irritadas. No se dió cuenta de que las llevaba hasta que, al fin, descansó en un albergue humilde del camino. Ella misma las ocultó, cosiéndolas al forro de su vestido. Con ellas atravesó el mar de la Mancha y llegó a Londres. Y ellas la vieron llorar las tristezas, que parecían inacabables, del destierro, de la desgracia imperial, del desamor de los suyos, de la ausencia y de la muerte lejana y trágica de su solo hijo. Y después, el dolor más grande, el de la vejez que se llevó su hermosura.

Eugenia, la Emperatriz, murió en Madrid, ciega de los ojos, pero no de la memoria. La luz y la sombra violentas de su vida habían puesto sobre su corazón una serenidad augusta. Murió con la conformidad de los que tienen la vida colmada y rebasada, varia y profunda como el mar. Sus joyas se repartieron entre las mujeres de la familia. Seguramente entre ellas están las esmeraldas. Pero ya hace años que no he estado en España. Mis amigos de allá o se han muerto o no me quieren escribir. No sé con certidumbre lo que habrá sido de las piedras verdes que han visto llorar a tantos ojos y correr la sangre de tantas venas egregias.

El último secreto.

Era ya muy tarde cuando mi amigo terminó su relación. Creo que la he reproducido exactamente, aunque, a la verdad, no había vuelto a recordarla hasta hoy que me he puesto a escribirla. Y he aquí por qué.

La historia de las esmeraldas está misteriosamente unida a sucesos singulares. Hoy, cuando amanecía, me avisaron que mi amigo estaba muy enfermo. Fuí a verlo antes de ir al hospital. Vivía en las afueras, en una casa solitaria y romántica, con persianas verdes y un pequeño jardín. Cuando llegué se acababa de morir. Cambié con el cadáver ese minuto de diálogo trascendente que tenemos con algunos muertos antes de despedirnos para la eternidad. Al volver hacia París pensaba que con mi amigo se iba el secreto de sus historias singulares, historias de piedras que parecían vidas de almas; y con él, la del final de la gran tragedia de las esmeraldas.

Cuando llegué al hospital, uno de los internos me dijo: "Ha entrado esta noche un compatriota suyo; está muy grave y no le comprendemos bien." Fuí en seguida a verle. Era un hombre joven, casi exánime ya por los sufrimientos de antes y por la muerte, que sentía llegar. Con un gesto, indicó que quería hablarme a solas. Mis amigos apenas le entendían, pero discretamente se apartaron.

Antes de que yo le preguntara nada, me dijo que venía de España, arrojado como la astilla de un naufragio, por la tempestad de la revolución. Tenía prisa para terminar; y tenía razón para tenerla. Cada palabra parecía que iba a ser la postrera. Con esfuerzo infinito me dijo que tenía... que tenía... dos esmeraldas y que las quería devolver a alguien cuyo nombre no me pudo decir; porque expiró.

Sus ojos se quedaron terriblemente abiertos, extáticos, como recordando una escena de supremo horror. Yo cerré los míos y me pareció ver, una vez más, las dos piedras verdes rodando a través de los siglos, luminosas y siniestras, perdurablemente ensangrentadas.

París, 1940.

EL PÁNICO DEL INSTINTO

Pasado y presente.

Todo el que escribe para el público tiene la pretensión de que le lean y aun de que alguien se acuerde de lo que ha escrito. No extrañará, pues, a nadie que yo, escritor impenitente, sufra de esa misma ambición y ose suponer que, entre los que me leen ahora, algunos recuerden que una de mis preocupaciones habituales es la de saber si nuestra época es, en efecto, como dicen la mayoría de las gentes, una época de excepción, o si, salvadas las diferencias lógicas del tiempo, es una etapa más en la vida del mundo, sin extraordinarias peculiaridades. En este ensayo voy a comentar el problema —problema previo, para lo que vendrá después— no de pasada, sino con alguna profundidad. Para plantearlo debemos considerar sus dos posibles aspectos, a saber: si, como dicen muchos, vivimos en tiempos peores que todos los precedentes, más degradados y más tristes; o si, como otros afirman, el destino nos ha hecho vivir en una época, no mejor ni peor, pero sí crítica, de las que marcan un cambio en el rumbo de la humanidad.

Al primer aspecto del problema respondo categóricamente con la negativa. Es importante aclararlo para nuestra ulterior demostración. Nuestro mundo no es peor, no es más incómodo que el de nuestros antepasados. Sin duda, la curva del progreso humano no es una línea regular, sino una curva ascendente, pero llena de oscilaciones. Es posible que estemos ahora en un bache en relación, por ejemplo, a aquellos años edénicos, que precedieron a la gran guerra europea, en los que la vida era una delicia entrecortada por esporádicas preocupaciones; una especie de deleitoso y permanente *week-end*. Mas el cálculo hay que hacerlo sobre los puntos medios y en trozos de vida humana de gran amplitud. Porque si queremos juzgar las variaciones del mundo con la medida de nuestra propia y breve existencia, viviremos en plena confusión. La humanidad avanza a pequeños pasos; pero cada uno de ellos abarca tres o cuatro generaciones. Si nos atenemos, pues, a esta cronología histórica y no a la individual, no se puede poner en duda el optimismo de la respuesta.

La experiencia del navío.

La vida de un poderoso de hace unos siglos no la soportaría, por incómoda, un pequeño burgués de hoy. Hace poco tiempo navegaba yo desde mi vieja Europa hacia América. Con un amigo contemplaba, desde el puente, a los pasajeros de tercera clase que departían o tomaban el sol en la proa. Es clásica la observación de que la vida de un barco establece las diferencias sociales con una irritante nitidez. En la vida de tierra vivimos todos mezclados. En la nave, hay tres pisos con sus letreros clasificadores y con graves anuncios, impidiendo que cada grupo de seres humanos abandone el lugar de su respectiva categoría. Las fronteras son inexorables y bárbaras: primera, segunda y tercera clase.

Mi amigo, que era pesimista, se extendió en consideraciones sobre la dureza de la desigualdad humana y terminó con las imprecaciones consabidas a la ruindad de nuestra época. Yo le hice observar que, puesto que el barco es, en efecto, una especie de tubo de ensayo de la vida social, era, desde luego, irritante, no la distribución en inevitables jerarquías, sino el que éstas no estuvieran distribuídas de un modo más racional; es decir, que, por ejemplo, una anciana enferma que viajaba en tercera clase no ocupara el camarote de primera de un petimetre ocioso e ignaro. Pero, con todo, lo indudable es que, admitiendo, por ahora, esta mala distribución de las jerarquías, el barco nos enseñaba claramente el inmenso camino recorrido en brevísimos años hacia una razonable igualdad. No hace mucho que yo mismo estudié la vida en los navíos hasta el final del siglo XVI. Estaba, pues, bien documentado para la comparación. Sin duda es muy bonito ver en los grabados antiguos aquellas naves airosas, con sus mascarones complicados, empujadas por las velas románticas o movidas por largas filas de remos. Mas, allá dentro, ¡qué bárbaro, qué infernal dolor! El galeote infeliz vivía muriendo, encadenado al banco, herido sin piedad por el rebenque del cómitre, hambriento, sediento, comido de toda clase de insectos repugnantes. Poco mejor era la vida de la marinería y de la soldadesca o de los pasajeros comunes. Y, bruscamente, en las cámaras de la popa se abrían las puertas de maderas raras y aparecía un recinto dorado, donde el privilegiado yacía entre pebeteros de ámbar, servido en áurea vajilla, como en los cuentos de *Las mil y una noches*.

Es, pues, evidente que las diferencias de clases se han atenuado considerablemente. Cualquiera de los pasajeros de primera clase de ahora estaría menos cómodo en los departamentos de tercera, pero no se sentiría desdichado, como no fuera, si era tan tonto como todo eso, en la vanidad; y, en todo caso, no estaría expuesto a morir de hambre, de suciedad ni de infección.

Los curiosos papeles que sobre la navegación transatlántica dejaron los primeros cirujanos de las carabelas, dan una cifra media de dos a tres muertos entre la marinería y la chusma en cada travesía; lo cual equivaldría de siete a diez muertos en los grandes vapores de hoy. Ha disminuído, pues, prodigiosamente y en muy poco tiempo aquel abismo que separaba las bodegas llenas de cucarachas de la cámara dorada de los señores. Y el ejemplo del barco se podría trasladar a la sociedad entera.

Progreso del mundo.

Inútiles son los argumentos de los pesimistas. Es de toda evidencia que las causas naturales del dolor están hoy maravillosamente atenuadas. La mujer pare sin dolor. La mortalidad global de los niños de pecho ha disminuído, en un siglo, a casi la séptima parte. Si tomamos como término de comparación un tiempo más antiguo, la diferencia sería fantástica. Basta con que recordemos lo que pasaba hace todavía doscientos años con las familias lógicamente mejor provistas de medios de defensa contra la muerte, las familias reales. Cualquiera de los reyes de Europa, hasta esa época, era el superviviente de una catástrofe de hermanos desaparecidos. Los panteones regios están llenos de osamentas de fetos ilustres. Para que un rey alcanzase un sucesor mozo, tenía con frecuencia que casarse cuatro o cinco veces y, aun así, tenía que recurrir, en ocasiones, a la fuente más pródiga de la bastardía. Hoy, en los países de una cultura media y entre gentes con un mínimum de recursos, son ya numerosísimos los padres en los que se cumple la venturosa imprecación de Sófocles: morir sin haber visto morir a un hijo. La mortalidad de los adultos es, también, enormemente menor. Las grandes y mortíferas epidemias, más devastadoras que las peores guerras de ahora, se han extinguido para siempre. La cirugía salva a diario millares de vidas humanas hasta hace poco condenadas indefectiblemente a perecer. La longevidad media es, en todos los pueblos de la tierra, cada día más alta. Las comodidades en la vida habitual enormemente mayores. El progreso es, por lo tanto, colosal.

Quedan las calamidades que el hombre crea, las guerras y las revoluciones. Es cierto que existen y que cuando estallan se exhibe en ellas idéntica barbarie que antaño. Pero son menos frecuentes y menos largas que antes, y, sobre todo, nunca como ahora, incluso en estos días en que Europa parece que va a incendiarse, nunca como ahora, lo repito, la preocupación de la paz ha sido más honda y más universal. Después hablaremos del profundo sentido de esta preocupación en la humanidad misma. Ahora hablamos tan sólo de los dirigentes. Pues bien; pensando en ellos, lo que hay que cotizar no es que, una vez más, la guerra haya estallado, sino que, para que esto ocurra, ha sido preciso acumular motivos y pretextos, cada uno de los cuales, cien años antes, hubiera bastado por sí solo para desencadenar la tragedia.

Cuanto acabo de decir está en la mente de todos; pero no es inconveniente repetirlo para contrarrestar las profecías lúgubres que a todas horas escuchamos acerca de la situación actual del mundo. Lo que sí ocurre es que el mismo indudable progreso medio de la vida hace que la meta del vivir cotidiano requiera un esfuerzo mayor que el que era preciso, hace pocas generaciones, sencillamente, para vivir. Es decir, que lo que hoy hace falta para que no nos consideremos como pobres de solemnidad, es mucho más complicado que en tiempo, todavía, de nuestros abuelos. La tercera clase del barco que nos servía de ejemplo, tiene, siendo la clase inferior, lavabos, ventiladores, mesa aceptable, servidores bien educados, etc. El nivel de la pobreza es, pues, mucho más alto; y el alcanzarlo es, por tanto, problema más difícil que lo era unas generaciones más atrás. Cierto que hay países en los que la pobreza tiene la misma dura realidad de siempre; pero esos países no influyen directamente en la marcha del progreso humano.

La preocupación de la "época crítica".

Sin duda, pues, no tienen razón los comentaristas jeremíacos que clasifican como nefasto a nuestro tiempo. Y vamos al segundo aspecto del problema. ¿Es nuestro tiempo un tiempo crítico, con características especiales que hacen prever el anuncio de un cambio de rumbo, a partir de él, en la marcha de la humanidad?

La respuesta a esta pregunta es más difícil porque los términos de comparación no nos los da, como hasta ahora, el pasado conocido, sino el porvenir que ignoramos. Es evidente que cada época trae consigo progresos, inventos, novedades; y éstos impresionan de tal modo a las gentes que viven en ella, que, con frecuencia, estas gentes tienen la pretensión de que están asistiendo a la transformación del mundo. Luego resulta que no hay tal transformación. Reflexionando sobre este fenómeno he citado otras veces las palabras de Goethe, que al ver que de Weimar a Berlín se tardaba varias horas menos, gracias a una nueva organización de las sillas de postas; y que al ver que Napoleón conquistaba a Europa, creyó poder profetizar que el mundo entraba en una nueva Edad. Pero he aquí que el poder de Napoleón pasó como una golondrina; y hoy nos reiríamos de los progresos de la locomoción que sorprendían a Goethe (1). Si un hombre como él, genial, cometió el pueril error, no es extraño que los comentaristas corrientes lo cometan cada día.

---

(1) El efecto de las diligencias, que por entonces se perfeccionaron, debió ser extraordinario, pues además de la reacción de Goethe se encuentran otras muchas. Por ejemplo, hacia los mismos años, la duquesa de Broglie exclamaba: "¡El hombre ha vencido al espacio!", al contemplar una diligencia nueva.

En el fondo, influye en estos juicios un sentimiento de vanidad: y es que a todos nos gusta ser los elegidos de los dioses para presenciar las grandes gestas de la Historia, aunque nos cueste caro el espectáculo. Es éste el mismo sentido del entusiasmo con que van las gentes a presenciar las grandes solemnidades, como desfiles, casamientos o visitas regias, grandes conmemoraciones, etc. Nada hay más incómodo que tales espectáculos, para los que hay que desplazarse en rebaño, aguantar las apreturas de la multitud y las inclemencias del tiempo; total, para nada: para ver pasar a los protagonistas del suceso como un relámpago, rodeados de su corte. Sería estúpido este afán de los hombres si no respondiera a la satisfacción, llena de sentido histórico, que da el formar parte del coro del gran suceso. El ser uno del coro es, en su sentido estricto, ser también actor.

La misma explicación tiene la fruición oculta que hay en los hombres que, por una fatalidad, han tenido que ser espectadores de las grandes tragedias históricas. En todos los labios se oye la misma frase: "¡Dios mío, qué época nos ha tocado vivir!"; pero detrás de la angustia se trasluce la satisfacción de haber vivido, aun cuando sea entre peligros, el magno suceso. Es evidente que esta actitud instintiva nos lleva a hiperbolizar la trascendencia de los sucesos que ven nuestros ojos y a darles una categoría de solemnidad histórica que no siempre tienen en realidad.

Con todo, aun con estas declaraciones y reservas, yo me inclino a creer que la época actual es, en efecto, una época crítica. Es posible que caiga en el mismo error que censuro en los demás. En todo caso, voy a decir las razones en que me fundo.

Los signos falsos de la "época crítica".

Casi sin excepción, las falsas apariencias de transformación de la humanidad se basan en dos categorías de hechos: o las grandes, las catastróficas calamidades que afligen a los pueblos, o la aparición de inventos que transforman rápidamente las condiciones materiales de la vida.

La primera de estas causas es la que dió lugar a la mayor parte de las profecías que en los tiempos antiguos auguraban los cambios del universo. Durante la Edad Antigua y la Media, las epidemias o las hambres, calamidades colectivas de una gravedad que nosotros desconocemos, dieron con mucha frecuencia la impresión de que la humanidad terminaba uno de sus períodos y entraba en una vida nueva; cuando no de que el mundo mismo tocaba a su fin; fundándose en la profecía que señala un período de profundas calamidades, como precursor de la hora en que sonarán las trompetas celestes del Juicio Final. Sin más trabajo que acotarlas según salían en el curso de mis lecturas he encontrado más de treinta citas de predicción autorizada de próximo acabamiento del mundo, hasta el final del siglo XVIII.

Estas calamidades colectivas se han desvanecido con los progresos de la higiene. Por ello, las predicciones actuales sobre los cambios críticos se fundan, más bien, en los inventos que hacen posible el traslado rapidísimo de los hombres, su comunicación instantánea, y, en suma, todos los grandes progresos de la técnica. La idea de que éstos son la llave del Paraíso humano se les ha subido a la cabeza a pueblos enteros; y así les va.

El razonamiento es, en un caso o en otro, pueril. Supone una ignorancia inmensa de la real corpulencia de la humanidad el creer que su curso inmutable puede cambiar por una catástrofe o por un invento.

Catástrofes e inventos son trascendentes para la vida individual de los hombres; mas para el bloque humano, hecho de centenares de millones de individuos, adheridos a su bioesfera, con una solidez que les hace partícipes de la fuerza misma del cosmos, esas grandes calamidades y esos portentosos descubrimientos no son más que leves anécdotas. La humanidad ha resistido muchas conmociones que hoy apenas nos podemos imaginar: el ataque de inmensos rebaños de monstruos gigantescos; el avance de los glaciares, que anulaban la vida en zonas enteras de la tierra; el hundimiento de otras bajo el mar. Y la humanidad ha seguido su curso.

En cuanto a los inventos de ahora, ninguno se puede comparar en trascendencia a los que tuvo que hacer el hombre en los albores de su vida humana: a la invención del uso múltiple y fino de la mano, del lenguaje, del fuego, de las armas, de los primeros dibujos y los primeros adornos de los jefes y de las mujeres, de la escritura y de la rueda; sencillamente al hallazgo prodigioso de ponerse en pie. Todo esto es de trascendencia infinitamente mayor que el vapor o la electricidad. Y, después de cada uno de esos sucesos trascendentales, el curso de la humanidad ha seguido inmutable.

Los signos ciertos.

No son, pues, desdichas ni hallazgos extraordinarios lo que ha impreso direcciones nuevas a la humanidad, sino las grandes aspiraciones ideales del alma colectiva.

A veces, es cierto, ocurre que en estos cambios esenciales, *provocados, siempre, por estados de alma,* interviene una técnica nueva y prodigiosa; pero ésta es, entonces, mero instrumento y no causa de la aspiración del espíritu. Por sí solas, las técnicas no tendrían otro valor que el de juguetes en manos de los niños.

Lo esencial es ese momento de universal anhelo de las muchedumbres que, a veces, toma la forma dc una verdadera angustia, que precede siempre a las grandes conmociones sociales y es expresión de una crisis del alma popular. Es ella, el alma, la que mueve realmente la Historia.

Si nos limitamos a la Historia propiamente dicha, es decir, prescindiendo de la misteriosa Prehistoria, encontramos dichas crisis del alma colectiva en los momentos que con toda justicia podemos considerar, hoy, a posteriori, como hitos fundamentales en la evolución de la humanidad moderna. Esos momentos son los años que preceden al nacimiento de Jesucristo y los que preceden al descubrimiento de América. Es innegable que esos dos momentos de la vida humana corresponden a los dos virajes más trascendentes que ha experimentado el hombre desde que tiene una conciencia histórica. Veamos qué ocurrió en ellos.

En ninguno de los dos, por de pronto, sucedieron ni siniestros extraordinarios ni inventos maravillosos. Cristo nació en un rincón del Asia, un día como los demás. Y el hallazgo de América tiene, al producirse, el aire de un azar que recae en un hombre casi desconocido, ni gran sabio ni gran héroe, más visionario que otra cosa y que se sirve de las mismas técnicas de navegar que cualquiera de los otro marinos audaces de su tiempo.

Ni calamidades ni inventos, pues. Pero, como he dicho en otra parte, leyendo la historia de los últimos años de la Roma precristiana se tiene la impresión clara de una angustia infinita que sobrecogió a aquellas generaciones, que habían perdido la fe en sus dioses y no sabían dónde estaba la nueva verdad; que habían olvidado las normas del bien y del mal; que sentían, en fin, esa espada aguda que atraviesa el corazón de las sociedades cuando se acercan sus horas decisivas y que consiste en percibir el vacío de lo que no se sabe cómo se va a llenar; en no saber qué es y cómo es ese algo, que, sin embargo, sabemos que inexorablemente necesitamos. Entonces, las gentes reaccionan con dos fenómenos típicos: el ansia de los goces sensuales y la desvalorización de la muerte. La humanidad se lanza a gozar sin freno de todo lo que tiene al alcance de la mano; y, a la vez, los hombres, por razones fútiles, se matan los unos a los otros. Todo esto ocurrió en aquellos años de la Roma antigua y fué señal que anunciaba la transformación del mundo.

Unos siglos después ocurre el fenómeno idéntico: la misma angustia universal; el mismo necesitar algo que no sabe dónde está ni cómo se llama; la misma pasión sensual desbordada; la misma falta del sagrado respeto a la vida ajena. Estamos esta vez en los finales de la Edad Media. Y la angustia de sus hombres no era otra cosa, yo estoy seguro, que el presentimiento de América, la adivinación subconsciente que del Mundo Nuevo hizo el instinto colectivo, mucho antes que lo descubriera un hombre; del Mundo Nuevo, donde el Viejo apoyaría su frente, ya entonces cansada; y cuyo palpitar juvenil acompañaría a la soledad de Europa, que, cada vez que se asomaba a los acantilados de sus finisterres, sentía el terror del misterio del mar sin orillas. América, un mundo nuevo, tranquilizó al Viejo Mundo. La conciencia del hombre descansó al saber lo que había más allá del misterio terrestre. Y vinieron los siglos más fecundos que se conocen para el progreso material y para la formación de las individualidades humanas.

El ideal evaporado.

No son éstos lirismos, a los que soy poco propenso y para los que no estoy dotado. Todo lo que digo tiene una realidad histórica tan cierta como las sucesiones de los reyes o los asaltos a las ciudadelas. Pues bien; esta misma realidad, esta misma profundidad, tiene la angustia de nuestro tiempo. Y por ello es lícito presumir que estamos en las vísperas de una Era nueva.

Nadie que reflexione, en efecto, puede contradecir los argumentos que he recordado antes y que demuestran que, materialmente, la vida de hoy es mejor que lo fué jamás.

¿Por qué, entonces, la universal lamentación? ¿Por qué el gesto agrio de los pueblos y la desesperanza de los individuos? ¿Por qué ese inacabable manar de pesimismo en libros y periódicos?

Pues porque la humanidad actual presiente también que necesita algo vital, trascendente para su rumbo inmediato, y *no sabe* lo que es. No puede negarse que, por desgracia, la preocupación religiosa, como preocupación colectiva, ha dejado de ser un sostén de los pueblos. Lo fué durante toda la Edad Antigua y la Media. La vida era entonces un valle de lágrimas; pero un valle de tránsito hacia un fin inmortal. No importaba sufrir aquí abajo; lo esencial era llegar a la meta divina; y esto era tanto más fácil cuanto más hondo hubiera sido el terrenal padecer.

La mente humana se transformó con el hallazgo de América, llena de riquezas y de sensualidad paradisíaca. Esta visión y el triunfo de la reacción renacentista, que trajo a los hombres sentidos nuevos para su vida y argumentos nuevos para transitar por los caminos del placer, quebrantaron el ideal religioso de las muchedumbres. Los ojos de los hombres empezaron a separarse del divino más allá. Aun tardaron siglos en declinar aquellos grandes ideales del ascetismo y de la fe; y el haber luchado para impedirlo, con detrimento de su poderío material, es una de las grandes glorias de España. Mas el resquebrajamiento se producía aquí y allá.

Surgió entonces, cuando mediaba el siglo XVIII, el ideal de la Razón y del Progreso material. Ya no se trataba de esperar sufriendo la muerte liberadora, sino de alargar, con el mínimo de sufrimientos, el momento de la muerte. La humanidad entera se dedicó, pues, al vasto empeño de transformar el valle de lágrimas en un nuevo paraíso, perfectamente terrenal, donde Adán y Eva viviesen en cínica armonía con la serpiente tentadora.

Y he aquí que, hoy, estos ideales, tan gratos, pero tan frágiles, se empiezan a evaporar. Antes hemos encomiado los progresos indudables y prodigiosos de la civilización material que han hecho que la vida sea cómoda para un número enorme de seres humanos y han ahorrado dolores infinitos a la carne de los hombres. El espectáculo, repitámoslo, es maravilloso.

Y con él corre parejas el del progreso intelectual. Disminuyen en todas partes los analfabetos; en muchos países han desaparecido ya. Los gobiernos exhiben con orgullo las cifras crecientes de sus escuelas. Las universidades y laboratorios son centros afanosos del saber, donde se arrancan cada día secretos a la vida y se abren horizontes nuevos al pensamiento. Se han dado pasos de gigante en el camino de la nivelación social. Se han destruído para siempre muchos injustos privilegios. El ideal de la libertad, con eclipses que son siempre pasajeros, prosigue su ascensión. Todo esto es verdad. Y, sin embargo, la humanidad está angustiada, como en las grandes épocas de su inquietud colectiva. Los hombres siguen su afán de cada día, en apariencia con el mismo entusiasmo, debajo de las mismas banderas, al son de los mismos himnos.

Pero en las miradas furtivas con que unos a otros se observan, al avanzar, se lee el mismo juicio unánime: "no es esto, no; no es esto". Todos llevamos en el alma, sin atrever a confesárnoslo, la muerte de los grandes ideales de nuestros padres. Los ideales nuevos, ¿dónde están?

Sería muy fácil multiplicar las pruebas de este desasosiego universal. Bastaría recorrer, al azar, las colecciones de los periódicos del mundo, de algún tiempo a esta parte. En una gran biblioteca europea me he entretenido el pasado invierno en leer 200 periódicos diarios, los de un día cualquiera, el mismo, de enero de este año, día no señalado por ningún accidente capital; y encontré 32 artículos, hablando del porvenir del mundo, que podía haber firmado el profeta Jeremías. Este es el eco auténtico de la voz de la humanidad actual.

La inquietud de los instintos.

Pero mucho más expresivos que las públicas lamentaciones son los hechos mismos que los hombres realizan a impulsos, no de su razón, sino de sus instintos. El pensamiento que dicta aquellos comentarios puede, en efecto, haber sufrido las influencias de un espejismo. Mas el instinto obedece a motivos profundos que buscan su información y su orientación en la raíz misma de la vida; y por eso no se engaña jamás. El instinto tiene su cerebro, que trabaja y que ordena, sin que nosotros lo sepamos. Y este cerebro del instinto tiene siempre razón.

Todavía, de los dos instintos fundamentales, hay uno, el de la conservación del individuo, cuyo fin es inmediato y sus reacciones pueden estar influenciadas por las nerviosas sacudidas de la actualidad. Tal ocurre, por ejemplo, con la emigración del oro, con las altas y bajas de los valores, con las huídas de la gente aterrada de un país a otro, o de un continente al del otro lado del mar, cuando hay temor de guerra, aunque no la haya después.

Pero esto no ocurre con el instinto de la especie. Lo que le pase a la especie no nos importa directamente a nosotros mismos; les empezará a importar a nuestros hijos; y sólo nuestros bisnietos o tres o cuatro generaciones más allá tocarán las consecuencias. Por eso, el instinto de la especie no se deja influir por el nervosismo del momento, por lo que cuentan los periódicos cada mañana; sino sólo por los grandes motivos de gravedad formidable y universal, que él, el instinto, percibe por medio de sus receptores subterráneos, de cuya sensibilidad no se da cuenta la conciencia individual.

Entonces, bajo el mandato de ese poder oscuro pero certero, los hombres cometen una porción de actos de trascendencia infinita, sin darse cuenta de por qué los cometen; o, a lo sumo, buscando para ellos explicaciones momentáneas y pueriles.

Suicidio de la especie.

Pues bien; en la vida actual, como en otras épocas de la Historia, el instinto de la especie está dando la expresión de la angustia humana en el hecho de la rápida disminución de la población en la mayor parte de los grandes países europeos; precisamente en aquellos que marcan, por su influencia política y civilizadora, el tono de la humanidad.

Este fenómeno es, en cierto modo, universal, y no peculiar a esos países. Existe en todas partes; y, sobre todo, en las grandes poblaciones, en las ciudades populosas, aun en las de los países en los que las estadísticas marcan todavía un alto nivel en la curva de nacimientos; porque este alto nivel se debe al esfuerzo de las poblaciones rurales, que al fin se contagiarán también. El fenómeno que voy a comentar es, pues, universal; y de aquí su indiscutible valor ejemplar.

Todo lo que nos cuentan los cronistas de los sucesos de cada día, incluso los más sensacionales, no son otra cosa que superficiales anécdotas, comparadas con este hecho, del que se habla de vez en cuando en las doctas academias; en esas revistas serias de gran número de suscriptores y escasísimo número de lectores; o en las actas de los Congresos de Demografía, que, apenas salidas de las prensas, están ya cubiertas de polvo perdurable.

Nadie ignora, sin duda, la existencia del problema. Lo que yo quiero decir es que son muy pocos los que se dan cuenta de su sentido trascendente. Los moralistas mismos y los higienistas se pierden en la discusión de las causas del mal y de los remedios para evitarlo, remedios que son absolutamente ilusorios. Porque a mi juicio —me apresuro a declararlo antes de discutirlo— el problema debe enfocarse así: la disminución de la natalidad no se debe tanto a una desmoralización del alma consciente de cada individuo, de cada padre y de cada madre, como *a una reacción defensiva del instinto de la especie ante una situación anormal de la vida humana.* Y esa situación anormal no es otra que la angustia ante el porvenir, angustia terrible por la certeza de su realidad oscura y por la incertidumbre de sus contornos. Angustia, en suma, como ocurre en todas las angustias verdaderas, sin saber por qué.

La disminución de la población es, en otras palabras, la reacción del instinto de la especie ante una vida histórica sin horizontes conocidos. Es inútil buscarla orígenes más fáciles y más mezquinos.

El individuo que experimenta una angustia individual está propenso a suicidarse. De igual modo, la humanidad angustiada propende a extinguirse, a suicidarse también.

El descenso de la natalidad.

No podemos decir hoy, porque entonces no había oficinas de estadística, si en las otras grandes épocas de la angustia histórica, al comienzo de la Era Cristiana y al final de la Edad Media, hubo también este mismo descenso en la voluntad creadora de las mujeres y de los hombres. Nos induce a pensar que sí la disolución de las costumbres sexuales, que es fenómeno que acompaña indefectiblemente al descenso de la natalidad, y que en ambas ocasiones alcanzó grados superlativos. Los documentos de ambas épocas nos indican también la alarma de las gentes ante el aumento de los abortos. Séneca nos habla con indignación de las romanas que evitaban el embarazo; y en las leyes de varios Estados de Europa del final del medievo se dictan rigurosas sanciones contra ciertas mujeres, que, al igual que hoy, se dedicaban al ejercicio clandestino de malograr la fecundidad. De todos modos, no es probable que los métodos de coartar la natalidad alcanzasen la difusión y la importancia que ahora. Por lo tanto, el problema no debió alcanzar la gravedad actual.

Para dar idea de esta gravedad, baste decir que hay solamente cuatro naciones cuyo aumento de población por kilómetro cuadrado sea de 1 o superior a 1: los Países Bajos, Italia, Polonia y Alemania. En todos los demás Estados ese aumento es inferior a la unidad. En las naciones del Norte de Europa (Noruega, Suecia, Finlandia y Estonia), el aumento es casi nulo, inferior a 0,1. Y en Francia y en Austria el balance es negativo: hay una disminución de habitantes de 0,03 por kilómetro cuadrado.

El caso de Francia es especialmente interesante, por su alto grado de sensibilidad cultural, por poseer inmensos territorios coloniales (que debieran fomentar su ímpetu natal) y por la influencia que sus actitudes sociales tienen sobre los demás países de la tierra; influencia, tal vez, la mayor hoy en día, sólo compartida por la de los Estados Unidos de América. Pues bien; según las estadísticas de Sauvy, suponiendo que el descenso de la natalidad en este gran país se detuviese en el límite actual (lo cual no es verosímil), dentro de treinta años la población francesa habría descendido desde los 41 millones actuales a 34 millones (cifras medias). Y si ese descenso continuara en la misma proporción, dentro de treinta años, es decir, dentro de la generación actual, la población de Francia estaría reducida a 29 millones. Brenier hace notar que esta catástrofe que podrá ocurrir en Francia no es, sin embargo, exclusiva de este país, sino que (aunque en proporciones menores) amenaza también a los otros grandes Estados del Oeste y del Norte europeos y a los Estados Unidos de América.

La magnitud y la inminencia del peligro justifican el afán de los gobiernos para remediarlo. Las grandes autoridades de la sociología y de la biología han sido consultadas. Y en algunos de estos países, como en la misma Francia, los gobiernos han elaborado vastos proyectos para atajar el mal. Para profetizar con alguna eficacia sobre su posible utilidad, convienen algunos comentarios acerca de las causas a que los sabios atribuyen la caída de la población. Los remedios están naturalmente inspirados en estas causas; y serán tanto más eficaces cuanto más exactos sean nuestros conocimientos sobre las causas mismas.

Causas del descenso natal.
El malestar económico.

Es imposible leer toda la literatura publicada a este respecto. Los grandes asuntos sociales no suelen requerir, para ser comentados, grandes conocimientos previos, sino sólo la mera aptitud de discurrir o de creer que se discurre. Por ello, es incalculable el número de *dilettantis* que aprovechan el gran número de sociedades y de revistas dedicadas a estos asuntos, muchas veces escasas de oradores y de colaboradores, para satisfacer su deseo o su necesidad de hacer oír en público su palabra. No hay tiempo ni paciencia para intentar seguirlos. Nos limitaremos, por lo tanto, a las actas del último Congreso Internacional de la Población, en París, 1938, y las discusiones de las Academias de Medicina y de la Sociedad de Sexología de París en estos últimos años. De estos documentos se infiere que las autoridades en la materia atribuyen el descenso de la natalidad, principalmente, a las dos siguientes causas: primero, a las dificultades materiales de la vida; segundo, a un conjunto de motivos que han debilitado en el hombre, y sobre todo en la mujer, el instinto de la maternidad.

El negar la importancia de estos dos factores sería pueril, y quiero hacer constar que yo no los discuto. La estrechez de la vida actual es, sin duda, motivo importantísimo del descenso natal. Una de las Memorias del referido Congreso es especialmente instructiva y patética, porque no está redactada con digresiones sino con hechos. Transcribe las respuestas recogidas por el Instituto de Economía Social de Varsovia, en una información abierta entre los obreros sin trabajo, acerca de la influencia de la cesantía sobre la vida sexual. Naturalmente, estas respuestas demuestran hasta la saciedad que la falta de recursos conduce, directamente, a evitar el matrimonio; y, cuando éste se ha realizado, a evitar la natalidad. Hay una respuesta terrible de un obrero: "Mi mujer y yo —dice— hemos tenido que separarnos, porque no tenemos dinero ni para hacerla abortar." Sin embargo, sobre todo esto habría mucho que hablar.

Desde luego, sin disminuir su importancia al factor económico, puede afirmarse que no es el fundamental. Como dice Wiethe-Knudsen, "nuestros padres, hace cincuenta años, eran más pobres que nosotros lo somos hoy; y, sin embargo, dejaban copiosa descendencia". Además, la disminución de la natalidad se observa, casi en idéntico grado, en los obreros sin trabajo y en los que tienen empleo y aun en las clases que viven en condiciones económicas satisfactorias, y hasta excesivas. Es más: el mal ejemplo ha venido, precisamente, de las alturas.

Con este orden de razones económicas colaboran, por lo tanto, sin duda alguna, otras, que los autores citan; y, que, en suma, se reducen a cuatro: la emancipación de la mujer que se ha alejado del hogar, para trabajar o para sentirse independiente; la pérdida de los frenos de orden religioso, que hacían un pecado grave del amor voluntariamente infecundo; la propaganda de los últimos decenios sobre las graves consecuencias sociales y biológicas del rápido aumento de la población del mundo, propaganda que se inició a partir del siglo XVII; y, finalmente, la popularización de los métodos anticoncepcionales y la facilidad para el aborto provocado.

Tampoco se puede poner en duda la eficacia de estos factores. Pero es evidente que todos ellos, aislados o reunidos, no hubieran sido capaces de producir una caída tan rápida, tan continuada y tan profunda de la población como la que estamos comentando.

Obsérvese quc los más importantes de los motivos que hemos enumerado representan, precisamente, amenazas al bienestar material más que al instinto de la conservación; *y estos motivos tienen, siempre, el carácter de ser transitorios.* Una crisis económica, por grave y por larga que sea, no puede influir sobre la natalidad sino en forma tan pasajera que apenas la notarían las estadísticas. Los pueblos han pasado por crisis hondísimas, por años enteros de miseria, por épocas largas de revolución y de guerra, en las que las dificultades económicas hacían disminuir notoriamente el número de matrimonios y, en los matrimonios ya establecidos, el número de hijos; y a ello se unía la supresión violenta de un gran número de vidas juveniles.

Sin embargo, la depresión de la densidad de la población que seguía a estas crisis era levísima y se rehacía con enorme rapidez; *porque el instinto de la especie conservaba intacta su ilusión y tomaba su revancha en cuanto la crisis se desvanecía.* Con ello contaba Napoleón cuando pronunció su célebre frase, ante la multitud de cadáveres que sembraban el campo de una de sus batallas: "Todo esto lo remedia una noche de París."

Ahora no sucede así. Ahora, para compensar las muertes de una batalla, se necesitarían las noches de decenios enteros. París y el mundo han aprendido muchas cosas. La disminución de la natalidad continúa inexorablemente su marcha; a pesar de que las crisis económicas se superan, y a pesar de que la prosperidad general del país sea aceptable y aun floreciente, y a pesar de los esfuerzos de orden económico que los gobiernos hacen para proteger a las familias numerosas. Y esto, nos preguntamos, ¿por qué?

Pretextos.

Si nosotros analizamos el problema, no en el terreno escurridizo de la sociología, sino en forma de confesión individual, con la intimidad y la certeza con que un médico puede hacerlo, inquiriendo en cada matrimonio las causas que han decidido a los cónyuges a suspender o a limitar su procreación, se adquiere la convicción indudable de que los motivos económicos que invariablemente exhiben los padres egoístas tienen mucha menos importancia de lo que ellos mismos creen.

Desde luego, son excepcionales los hombres o las mujeres que aducen ante nuestra investigación razones distintas de las económicas: por ejemplo, hombres que declaran que los hijos perturbarían la paz de su trabajo o que quieren prolongar la juventud de la esposa; o mujeres que confiesan que no quieren deteriorar su físico con la maternidad o que no quieren perder con los cuidados inherentes a la condición de madre la libertad de que gozan siendo estériles. Todas estas razones las he oído yo más de una vez; pero repito que en proporción mínima respecto a la explicación económica.

Si ahondamos ahora en la realidad de esta explicación económica, con enorme frecuencia se llega a la conclusión de que, más que explicación verdadera, es un pretexto; es decir, que la paternidad, si verdaderamente fuera deseada, podría hacerse compatible con los recursos monetarios del matrimonio.

Es fácil, en cada caso, poder encontrar a mano el ejemplo de un matrimonio, análogo desde el punto de vista económico, y que, no obstante, tiene varios hijos, sin que la vida sea notoriamente más pobre que la del matrimonio infecundo. No es verdad, por desgracia, el refrán de que cada hijo nace con un pan bajo el brazo; pero sí es cierto que los hombres y las mujeres llenos de espíritu paternal encuentran siempre el ímpetu necesario para compensar con un esfuerzo un poco mayor el déficit que en la economía causa la boca nueva. Y, en todo caso, es más evidente que, cuando se posee ese instinto paternal, una cierta mayor estrechez se compensa ampliamente con la inmensa felicidad que dan los hijos.

Hay un argumento que convence siempre a los que lo escuchan: sin duda, hay un gran número de matrimonios que envidian a los que poseen una posición económica superior (dentro, naturalmente, de ciertos límites; es decir, sin hablar de la envidia del pobre de solemnidad frente al rico). Pero esta envidia del menos acomodado hacia el más acomodado es siempre menos grande, y su dolor menos angustioso, que el de los matrimonios sin hijos que envidian a los matrimonios fecundos. Los médicos pocas veces conocemos estados de obsesión más perturbadores y tenaces que los de muchas mujeres que quisieran tener hijos y no los pueden tener. No pueden compararse con la obsesión, mucho menor, de los que viven mal y quisieran mejorar de fortuna.

Resulta, pues, que cuando se desea no tener hijos, cuando se desea de verdad, el motivo económico es, casi sin excepción, de mucho menor volumen que lo que los propios padres creen; es, repito, un pretexto que se dan a sí mismos; porque es el de apariencia más justa y el que encuentra un eco de comprensión más grande en la sociedad. Todos tenemos el sentimiento de que actuar contra las injusticias sociales es menos grave que actuar contra los instintos... Muchos hombres y mujeres no tienen escrúpulo en decir: "No puedo tener hijos porque no los puedo alimentar"; casi nadie se atreve a confesar que no los tiene porque no los quiere tener.

Hay, además, un hecho de valor demostrativo indudable en el sentido de lo que acabo de decir; y es la debilísima o nula influencia que tiene la ayuda económica que se presta a las familias pobres con objeto de aumentar su natalidad.

A consecuencia de las propagandas y premios de los gobiernos, aumenta la proporción de matrimonios; pero apenas la natalidad, salvo, hasta ahora, en Alemania (Wieth-Knudsen). Y en este país no se sabe nunca si las propagandas son persuasiones o mandatos. Los resultados de ellos tienen, pues, menos valor que en los pueblos de más recia individualidad. Una mujer, en una consulta pública (no en España), nos contaba los recursos de ayudas económicas que había recibido de varias Instituciones del Estado y de su provincia y municipio, como trabajadora pobre que era, para animarla a la prole copiosa; a pesar de estas ayudas, sólo había tenido un hijo en siete años de matrimonio. El objeto de su consulta era obtener un certificado de enfermedad, probatorio de que era ésta, y no su voluntad, la causa de su infecundidad, para seguir así obteniendo aquellos auxilios monetarios. Un día hablamos largamente con ella, ya en la calle, y nos confió que entre los jornales de los dos cónyuges y los consabidos premios vivía con comodidad; pero, a pesar de eso, "no quería" tener más hijos.

Los motivos ignorados.

Los verdaderos motivos de gran número de estos casos de infecundidad, o son de orden que los mismos padres consideran inconfesable ante su propia conciencia (como los ya citados de orden sensual o estético), o, con mucha mayor frecuencia aún, *son motivos que ellos mismos ignoran, porque están enterrados en los estratos inconscientes de su espíritu.*

En la mayoría de los casos, este motivo inconsciente, el verdaderamente grave, es, lo repito, una actitud defensiva, no del instinto de la conservación individual, y por lo tanto ajeno a la penuria económica, sino del instinto de la conservación de la especie. Adivino la perplejidad del lector: que el instinto de la conservación de la especie se defienda disminuyendo el número de hijos, parece, no ya paradoja, sino puro disparate.

Sin embargo, no lo es. Hay muchas ocasiones en la vida en que el instinto de la conservación del individuo nos lleva a actos que parecen contrarios a él, como, por ejemplo, el ayunar si el alimento puede hacernos daño o el arrojarnos por una ventana, con riesgo de matarnos, si permaneciendo en la habitación estamos seguros de morir. Del mismo modo, el instinto de la especie puede conducir al hombre a entorpecer la procreación, si adquiere, en el antro oscuro de su conciencia, la convicción de que esos hijos puedan desaparecer antes de haber cumplido el fin para que fueron creados y por motivos ajenos a la eterna y universal conveniencia humana.

Terror del instinto.

En otras palabras: no sólo mis reflexiones sobre la marcha de las estadísticas, que acusan la vertiginosa disminución de la natalidad con notoria independencia del malestar económico, sino mis investigaciones individuales en gran número de padres voluntariamente infecundos, me han convencido de que la causa más importante de la infecundidad colectiva es un miedo subconsciente a perder los hijos en las guerras o en los grandes trastornos sosiales de orden político que se ciernen sobre la humanidad actual. La propaganda incesante que se hace de la guerra, la guerra misma, la insinuación de que detrás de ella ocurrirían revoluciones universales espantosas, ha creado el estado de defensa instintiva de la especie. Gran número de obreros de ambos sexos, millares de millares de ellos, están, no lo olvidemos, en los tiempos de paz, ocupados en las industrias de guerra. Ganan sueldos excelentes; pero a la vez reciben cada día una visión directa de la magnitud de los medios de destrucción que ellos mismos construyen. Acaso muchos de ellos no se paran un momento a pensar que, gracias a esos proyectiles, mezclas explosivas o aparatos de guerra, podrán morir sus propios hijos; pero, piénselo o no, el instinto de la especie toma nota indeleble de la terrible verdad. Y no sólo son los obreros. La guerra ocupa en la mente de cada hombre de hoy un volumen inmenso. Todos hemos visto a los niños de las ciudades europeas, desde hace meses, ir a la escuela con la máscara contra los gases asfixiantes. Esa lección, pensaba yo, es la única que nunca olvidarán.

En muchos de esos obreros, que forman, por su número, el núcleo de la sociedad, la reflexión que acabo de hacer se la hacen ellos cada día. Yo se la he oído a algunos hombres y mujeres. Otras veces, probablemente, sugerida por las propagandas revolucionarias. Porque se olvida que lo terrible no son las propagandas, sino el darlas argumentos de la magnitud del que acabo de exponer.

La propaganda a favor de la guerra, que se hace hoy oficialmente y utilizando medios de difusión y de impresión de las conciencias verdaderamente insólitos, a la vez que despierta la angustia del instinto de la especie, crea una intensa inhibición para expresarse. No se puede hablar contra la guerra, porque ésta supone el bien de la patria, la libertad de los pueblos, la felicidad, el aniquilamiento de los enemigos odiados; y hasta se nos dice que la guerra representa... la paz. Estos argumentos no son unánimemente aceptados; pero no pueden ser discutidos; y el volumen de la responsabilidad moral y política que supone el discutirlos hace que se sumerjan en los subterráneos de la conciencia y que desde allí actúen contra la especie humana, en forma de pretextos, algunos tan aparentes como los económicos. Las propagandas anticoncepcionistas facilitan desde luego este disimulo de las verdaderas causas de la catástrofe de la natalidad.

La psicosis de guerra.

Se habla con razón de que el mundo actual está dominado por la psicosis de guerra, psicosis colectiva tan intensa que ha contagiado hasta a gentes que, aunque la guerra estalle, no tienen nada que temer. De la guerra misma se ha hecho, gracias a las propagandas, un mito apocalíptico. La guerra es para la mente actual algo mucho más espantoso de lo que representaron en otros tiempos las fantasías de Durero o los caprichos de Goya. Cuando vemos el esqueleto de la muerte, la guadaña en ristre, sobre un caballo cuyas pezuñas se apoyan en los cráneos de los muertos, sabemos que se trata de un símbolo representativo de una tragedia. Pero las fotografías actuales de las trincheras, llenas de hombres jóvenes con los gestos estáticos de la muerte, o de las ciudades destruídas en un minuto, desprovistas de todo símbolo artístico, estos documentos, de tremenda y desnuda eficacia, llegan directamente hasta la profundidad de los instintos. Así se ha creado la psicosis de guerra, a la que muchas veces se agrega la psicosis de la revolución, peor aun que la guerra, porque es más cruel y más

estúpida. Como nuestro San Francisco de Borja ex
clamaba ante el cadáver de la grande Isabel: "N
más servir a señor que se me pueda morir", d
igual modo el instinto de la especie, compungido
en el fondo del alma, gime también: "No más, n
más engendrar a hombres a quienes van a matar."

Las inhibiciones que la sociedad actual ejerc
sobre esta explicación guerrera de la disminució
de la natalidad son tales que los mismos hombre
de ciencia no se atreven a decir la verdad, ni acas
se la plantean. En los *rapports* del Congreso d
la Población, sólo Bohac, al final de su trabajo, e
el que ha examinado las causas del descenso de l
población, encomiando, con razón, la importanci
de las causas económicas, desliza, al pasar, la po
sibilidad de que "los anuncios incesantes de un
nueva guerra animan poco a los hombres para l
creación de hijos". Es esto lo esencial.

En algunos de los hombres y mujeres voluntariamente estériles, en quienes he tratado de averiguar la razón verdadera de su actitud, cuando les hacía ver lo injustificado de las razones que me daban, cuando se les convencía de que sus argumentos económicos eran pretextos y no razones, a veces acababan por ver la verdad frente a frente y por confesarla. "En definitiva —me han dicho algunos, poco más o menos—, ¿para qué tener hijos, si cualquier día se los van a llevar para matarlos, como los que nosotros vimos morir cuando hicimos la guerra, quién sabe si por salvar a la patria, pero quién sabe si para servir a razones políticas cuya justificación no se conoce nunca hasta que están enterrados los muertos; y, en todo caso, para matar a otros hombres que pueden ser o pueden no ser tan malos como nos dicen, pero que, en todo caso, son hermanos nuestros?"

Yo no discuto ahora el que las guerras sean en muchas ocasiones nobles y gloriosas; quizá, necesarias. Es un problema mucho más hondo de lo que creen los oradores sentimentales en los mítines. No quiero discutirlo, porque los años me han enseñado a medir, cada día más, la responsabilidad de mis palabras. He dicho en este mundo muchas cosas sinceras y exactas que se han querido aprovechar después para los fines menos respetables. En el caso de la guerra, me repugnaría el que, por hablar en contra de ella, se me pudiera confundir con los pacifistas que quieren desarmar a los hombres para, entonces, hacer ellos su guerra con ventaja.

Pero digo que mientras el peligro de la guerra tenga transida el alma de las multitudes, y con la guerra el peligro de las revoluciones estúpidamente glorificadas, la natalidad disminuirá.

Los dirigentes de los pueblos suponen que a éstos se los puede agitar y asustar impunemente; pero no es así. De momento se callan, obedecen y parecen quedarse tranquilos; pero hay cosas finas y sutiles en el alma de la multitud que se rompen o se descomponen para siempre.

Pasa lo mismo que cuando se asusta a los niños hablándoles de monstruos y de brujas para que se estén quietos y obedezcan: dejan de llorar; pero toda su vida queda sobrecogida por la impresión del terror infantil; y hay muchos hombres a quienes estos sustos de la niñez les han cortado para siempre las alas del impulso vital.

La psicosis de guerra, que es una psicosis de terror que se viene fomentando en el mundo occidental desde hace largos años, tal vez acabe por disciplinar a los pueblos; y quién sabe si terminará por evitar la guerra misma. Pero mientras dure, mientras se la fomente, serán inútiles los medios que se intentan para evitar la despoblación de los países, porque ninguno de ellos desciende hasta la entraña de los motivos verdaderos.

El instinto de la especie está paralizado de terror; y no se tranquilizará y recobrará su genio creador, es seguro, publicando en los periódicos los retratos de los padres prolíficos o rebajando el alquiler de la habitación a las familias numerosas.

Objeciones.

Dos objeciones importantes pueden hacerse a mi modo de pensar. La primera, que siempre ha habido guerras o temores de ella, y no siempre se han producido los fenómenos de desnatalidad actuales. Otra, que los países en los que se hace más especial propaganda guerrera son los que están a la cabeza de la natalidad, cuando, en realidad, debiera ser lo contrario.

Las dos objeciones se contestan con el mismo argumento. El instinto de la especie puede vencer su parálisis por motivos de categoría superior. Hubo tiempos en que la guerra se hacía por razones de alta categoría ideal, como las religiosas, las de los grandes ideales políticos, etc.; y entonces era una gloria sucumbir. Por otra parte, la plebe, el soldado de entonces, aun cuando no participara tal vez de estas formas supremas de fe, tenía tal concepto de la servidumbre y tan firme conciencia de que a este mundo había venido para padecer y para morir, que se entregaba a la fatalidad de la guerra sin ninguna objeción. Pero ahora, la característica del tiempo nuevo es la falta de fe en los ideales. A los instintos les faltan las alas heroicas para volar. Es cierto que todavía esos ideales se nombran y se agitan como estandartes; pero, en el fondo del alma de los pueblos, tienen, a pesar de todas las propagandas, un eco cada vez menor. De esos ideales, el único que queda en pie es el de la patria; éste no se extinguirá jamás. Y aunque la patria es motivo de guerras muchas menos veces de lo que se dice —aun cuando casi siempre se invoque para fortalecer la debilidad de los pretextos verdaderos de la guerra— es evidente que, a veces, su ideal puede sobreponerse a los desfallecimientos del instinto y devolver a éste su heroísmo.

Análogas consideraciones explican que haya pueblos que conserven su natalidad, a pesar de que sus hombres y mujeres se duermen cada noche oyendo el motor de los aviones y las sirenas de alarma para mantener la imagen viva de la guerra en la imaginación popular. Una exaltación del sentimiento del servicio de la patria realiza el milagro. Con estos pueblos se podrá estar no conforme; se podrá discutir la eficacia de su actitud en el futuro. Pero hay que reconocer lealmente que ese hecho de la natalidad conservada indica una tensión de ideales capaz de superar a los instintos conservadores; es decir, indica un alto índice de heroísmo. Porque heroísmo es sólo eso: la superación de los instintos conservadores —el del individuo y el de la especie— por un ideal superior.

La paz futura.

Llegamos, de nuevo, a nuestra conclusión. El mundo atraviesa, casi podemos afirmarlo, una fase crítica de su historia milenaria. Lo revela la angustia típica que produce en el alma colectiva la evaporación de los ideales antiguos y la ignorancia de los nuevos. No sabemos hacia dónde encontrarán los hombres su nueva ruta y su nueva fe. Pero los síntomas que he señalado y la interpretación del hecho más trascendente de nuestro tiempo, *que es el pánico del instinto de la especie*, induce a esperar que el hallazgo maravilloso que transforme la Humanidad futura sea, sencillamente, la Paz.

Hallazgo antiguo, se me dirá: porque hace cerca de veinte siglos que una voz sobrehumana anunció que era la mensajera de la Paz y del Amor. Pero si el hombre ha tardado miles de miles de años para saberse sostener en pie, para tener una frente que piensa, una mano que crea y una boca que sonríe, es decir, para empezar a ser estrictamente hombre, nada tiene de extraño que tarde también unos cuantos siglos —es decir, un soplo— en que fructifique en su conciencia la semilla que arrojara la mano de Dios.

Nosotros no viviremos entonces. Pero es fácil augurar que el día de la nueva y eterna aurora cristiana, el día en que los hombres no se maten los unos a los otros, el instinto paternal, más fuerte que todos los egoísmos, volverá a florecer como en el tiempo antiguo; y el hombre se maravillará de que en otros tiempos, en éstos que vivimos, se hubieran necesitado miserables recompensas —un puñado de plata— para cumplir el divino goce de sentirnos, en nuestros hijos, inmortales.

MENÉNDEZ Y PELAYO Y ESPAÑA

(RECUERDOS DE LA NIÑEZ)

La influencia norteña en España.

Desde el siglo XVIII empieza a dibujarse en España la influencia que habían de tener en el gran resurgimiento intelectual del siglo XIX las mentalidades del norte de la Península. Es cierto que Quevedo, Lope de Vega y otros grandes ingenios de las centurias anteriores eran oriundos, igualmente, de la montaña de Santander; pero, recriados en la meseta de Castilla, su ascendencia montañesa sólo tiene interés para los eruditos y los patriotas locales. El acento de su influencia intelectual es netamente castellano. El influjo de los primeros hombres pirenaicos sobre la mentalidad española empieza, en realidad, con el padre Feijóo, gallego, recriado en Asturias y asombroso ejemplo del poder de la palabra humana, ya que desde su celda del convento de San Vicente de Oviedo logró sacudir, tal como si su pluma fuera un látigo, el alma de los españoles, no siempre permeables al puro pensamiento; y menos en aquellos años, los más tristes de nuestra historia contemporánea, en los que la Península, agotada por dos siglos de decadencia de los Austrias y por la reciente sangría de la guerra de Sucesión, era un inmenso desierto, lleno de ruinas, habitadas por hampones y mendigos.

Los ensayos del *Teatro crítico* y las *Cartas eruditas*, que tantas veces he comentado, ensayos llenos de medida y de continencia, pero de la pasión de saber y de un ímpetu casi santo de renovación, obraron el milagro de sacudir los nervios atónitos de una humanidad que parecía extinguida para toda otra cosa que no fuera el simple vegetar. En las casas más humildes de España, durante las tertulias vespertinas, se leía en alta voz el último volumen del intrépido fraile, que valerosamente arremetía contra la milagrería y la superstición, escudado en su fe impoluta, en su ortodoxia intachable y en la autoridad de su alto magisterio teológico, ganada en largos años de enseñanza y de estudios en las cátedras más famosas del país. Porque Feijóo comenzó su obra asombrosa cuando ya tenía la juventud muy lejos de sus espaldas. Como yo he escrito en el libro que con tanto amor le dediqué (1), era su edad la misma de Don Quijote cuando, con el espíritu iluminado, como el del inmortal manchego, salió desde su celda a deshacer entuertos por los campos de España, vestido de su hábito, que le servía de yelmo contra las pedradas

(1) *Las ideas biológicas del padre Feijóo*, Madrid, 1934.

y los palos de los eternos malandrines y follones de la ignorancia y de la estupidez.

Las ediciones de las obras feijonianas se sucedían con desconocida profusión. Cada *Ensayo*, cada *Carta* nuevos, eran como una luz que se encendía en el alma de los españoles, entenebrecida por el cansancio y el pesimismo. Y a poco, su fama volaba por encima de los Pirineos y llegaba al resto de Europa, en cuyas academias, llenas de la generosa pedantería científica de la Enciclopedia, se discutían las doctrinas audaces del escritor español. Hacía muchos años que nada semejante había ocurrido; desde aquellos, ya lejanos, de nuestro Siglo de Oro. Y no sólo hacia Europa, sino también hacia América, a través del vasto mar, volaron, como una bandada de pájaros graciosos y disertos, los pensamientos de Feijóo.

Feijóo y Menéndez y Pelayo.

Me he entretenido en este recuerdo de Feijóo porque le creo antecedente directo de Menéndez y Pelayo. Le trató éste con alguna dureza en los escritos de su mocedad, cuando la pasión de los pocos años, que era mucha debajo de su inmensa sabiduría, y los extremismos políticos, que, con la edad, se serenaron, le hicieron ver, sin su justa medida, las actividades aparentemente revolucionarias del fraile benedictino. Pero don Marcelino rectificó más tarde su error, y en los escritos de sus últimos años hizo la justicia merecida a Feijóo, reconociendo su portentosa erudición, la lealtad y la ortodoxia de su actitud y la inigualada influencia que había ejercido sobre la cultura de los españoles de su tiempo.

Menéndez y Pelayo tenía la misma avidez de saber que Feijóo; su misma prodigiosa vena creadora; su misma posición teológica e idéntico afán de magisterio nacional. Se diferenciaron en que Feijóo era un precursor de lo que tuvo de fecundo el movimiento liberal del siglo XIX, mientras que Menéndez y Pelayo puede considerarse como un precursor de la mentalidad postliberal, en cierto modo neoliberal, que tiene hoy ganadas a muchas conciencias; que incluso representa la actitud estatal en algunos países actuales, y que tal vez sea una de las formas políticas fundamentales en un próximo mañana: es decir, una democracia jerárquica, profundamente cristiana, en su sentido de hermandad universal, sin menoscabo de los valores tradicionales y genuinos de cada nacionalidad.

Se diferenciaban, además, hay que decirlo, en la calidad de sus mentes. Feijóo fué un ingenio de desarrollo tardío. Él mismo, con su esfuerzo, forjó sus armas y las afiló; y cuando las tuvo a punto hizo su primera salida por los campos de la polémica. Pero Menéndez y Pelàyo no fué un hombre de talento, sino un genio. Lo sabía todo como por ciencia infusa, en plena juventud. Si Feijóo puede compararse a Don Quijote, que se decide a derribar gigantes, después de medio siglo de meditación sobre sus libros de caballería, Menéndez y Pelayo se podría comparar con David, que desde niño derribaba a los gigantes por la gracia de Dios.

Otro director del espíritu hispánico próximo a Feijóo, desde su misma tierra del Norte, es Jovellanos, cuya obra y cuya vida, demasiado olvidadas por las generaciones actuales, merecen una cruzada de reivindicación.

Desde entonces no se interrumpe la capital aportación de las gentes pirenaicas a la cultura hispánica, hasta llegar a Unamuno, el gran vasco español, el que, en su afán de contradecirlo todo, se empeñó en la vana lucha de que su cerebro hiciera objeciones heterodoxas a la ortodoxia de roca de su corazón.

No es ésta la ocasión oportuna de estudiar toda la importancia de este influjo del Norte en la espiritualidad española y en la de toda nuestra raza. Yo creo que a esta influencia debe, en gran parte, su carácter y su profundidad, el inmenso hervor de renovación que convierte a España, en la segunda mitad del siglo XIX, en uno de los focos del pensamiento europeo y americano. No cabe duda tampoco que uno de sus representantes arquetípicos, uno de los más altos por su calidad y por su eficacia, fué Menéndez y Pelayo.

El foco de Santander.

Pero antes de hablar de él, hay que situarle en su patria regional, en Santander.

A mediados del siglo, Santander, tranquila capital de la Montaña, la provincia marítima de la vieja Castilla, se convierte, por uno de esos fenómenos inexplicables que ocurren en el alma de los pueblos, en foco potente de espiritualidad. Santander es una noble ciudad austera, cuyas características psicológicas son la noción hipertrófica de la hidalguía en sus señores; y en el pueblo, el afán de trabajar. En nobles y plebeyos hay, además, una inteligencia viva, adornada de un sentido muy especial del humor, sin duda de origen céltico, pero algo más cazurro y a veces villano que en otras provincias españolas influídas por la misma sangre céltica, como Asturias y Galicia.

Los que hayan recorrido los valles dulcísimos de esta provincia recordarán aquellos pueblos en los que nunca faltan, por pequeños que sean, media docena de casas solemnes con escudos desmesurados, mayores que las puertas mismas a las que aplastan con su excesiva dignidad; y a su lado, agrupadas en torno de la iglesia vigilante, las viviendas de los campesinos, rebosantes de actividad ordenada. En la plaza, los hombres que vacan de su trabajo os contemplarán, al pasar, con aire entre afectuoso y burlón; y si trabáis conversación con ellos, brotará, al punto, de sus labios la frase equívoca, el apunte agudo y la ingeniosa respuesta. Esto es la Montaña.

En Santander, la capital, el espíritu es idéntico, aunque vestido con empaque ciudadano; y con un cierto viento de cosmopolitismo, propio de los puertos grandes y abiertos a la ruta de los mares remotos.

En aquel ambiente, sin Universidad, sin una gran prensa, formado casi exclusivamente por hidalgos, comerciantes y pescadores, cristaliza, de repente, y sin saber por qué, una generación de hombres afanosos de saber, llenos de espiritual inquietud, lectores incansables, discutidores de todos los temas de la literatura y de la ciencia.

Puede decirse que todos los jóvenes de las promociones aquellas nacieron y vivieron bajo el signo de esa inquietud. Sin ellos, Menéndez y Pelayo no hubiera existido. Porque los genios nacen siempre en un ambiente propicio, de fina curiosidad por los temas del espíritu; como dijo Cajal, la gran cumbre del genio surge de la alta meseta de una cultura media y no, de repente, del nivel del mar.

Fruto del mismo ambiente fué el gran novelista don José María de Pereda. Y entre los escritores que no alcanzaron celebridad perdurable, pero que son también un índice de la fuerza creadora de aquella época montañesa, recordaré a Amós Escalante, uno de los más castizos narradores de la España contemporánea, acaso demasiado arcaico y por ello no incorporado a la gran corriente de los lectores y a la fama universal. Y había muchos más.

El órgano de aquel movimiento intelectual fué un pequeño periódico llamado *La Abeja Montañesa*, cuya breve colección conservaba mi padre como oro en paño; y de niños lo leíamos en mi casa con deleite singular. Allí se publicaron los primeros estudios de costumbres populares de Pereda, las famosas *Escenas montañesas*, en las que Menéndez y Pelayo contaba que había aprendido a leer. Solía decir que estas *Escenas* podían compararse con las mejores páginas de las novelas ejemplares o de los entremeses de Cervantes; y aun creo que lo escribió en alguno de sus libros.

Filo y contrafilo del maestro.

Los biógrafos de don Marcelino han disertado mucho sobre la influencia que tuvo en su vocación y en su formación inicial su profesor de Latín en el Instituto de Santander, un tal don Francisco de Lanuza. Mucho oí hablar de él en mis años juveniles; así como del intenso ambiente de humanismo y de entusiasmo cultural de aquel Instituto de Segunda Enseñanza de la capital montañesa, cuando el futuro escritor era un muchachuelo. El propio padre de Menéndez y Pelayo, llamado, como él, don

Marcelino, era también profesor del mismo centro, profesor de Matemáticas. Yo tengo como una de mis grandes satisfacciones el haber hecho en este Instituto mi ingreso en el Bachillerato, llevado por mi padre y por Menéndez y Pelayo, que me presentaron a los catedráticos, tranquilizando con las consabidas recomendaciones mi timidez, que entonces era mucha; y que tardé largos años en vencer, a costa de esfuerzos heroicos de mi voluntad. Gracias sin duda a estas ayudas, fuí aprobado, pues el tribunal, a pesar de su notoria benevolencia, me sobrecogió hasta el punto de no dar pie con bola en las preguntas escandalosamente elementales que me hicieron.

Muchas veces he reflexionado, pensando en Lanuza y en Menéndez y Pelayo, sobre la inmensa importancia de los maestros de la Segunda Enseñanza, cien veces superior a la de los universitarios. En un Estado lógicamente organizado, no cabe duda que los hombres mejores se destinarían a servir como maestros de escuela y de liceo. Ningún otro funcionario público debiera ser retribuído y cuidado por los altos poderes como estos trascendentales directores del alma humana, cuando ésta es todavía maleable y prodigiosamente apta para ser fecundada por todas las semillas. Ya sé que hay maestros admirables en todos los países y en todos los tiempos, en este modesto estrato de la pública enseñanza. El caso del Instituto de Santander, por los años aquellos, no es excepcional,

Pero se trata siempre de hombres heroicos, aislados, inundados de una vocación sólo comparable a la religiosa. Mas a otros muchos se les enturbia y acaba esta vocación, antes de dar la plenitud de sus frutos, en la lucha gris y agotadora contra la incomprensión y contra la modestia material, que, muchas veces, linda con la más deprimente pobreza.

Son pocos los que pueden llevar adelante su santo impulso y los que logran ver realizada su obra. Y hay que decir, con dolor, pero con claridad, que otra parte, tal vez copiosa de estos puestos, trascendentes en la formación del alma de los pueblos, es ocupada por gentes o notoriamente incapaces, a pesar de su buena voluntad; o bien por gentes agriadas y resentidas por el fracaso social o por el, mil veces más peligroso, fracaso interior. De una parte de los trastornos sociales, inútiles y crueles de nuestros tiempos en Europa, son responsables directos los maestros, más que malos, pedantes, reclutados con un mínimum de conocimientos, lo cual puede no ser demasiado grave; pero con una ausencia absoluta de sentido de la augusta responsabilidad de su misión. Digo que ellos son los responsables directos. La responsabilidad indirecta, pero quizá la más grave, ha de atribuirse al Estado mismo, que al elegirlos atiende más a la ciencia que a la conciencia y que, además, da tan mísera categoría económica y social a los que debieran ser sus más insignes funcionarios.

Pero, en cambio, cuando el azar o circunstancias fortuitas reúnen en uno de estos centros a un pequeño grupo de hombres capaces, puros, bienintencionados, la maravilla de sus frutos no tiene par. Yo no regateo la parte de la que deba atribuirse en el esplendor de la gloria de Menéndez y Pelayo a sus maestros de la Universidad de Barcelona, de Valladolid y de Madrid; y a los que desde fuera de la Universidad le sirvieron de guía en sus años de juventud. Pero me complazco en pensar que, después de los designios providenciales, tuvo la mayor parte en la génesis de su genio el espíritu probo, riguroso y disciplinado de su padre, el modesto catedrático del Instituto de Santander; y al lado de él, el emocionante amor a los clásicos y a las humanidades de don Francisco de Lanuza, su profesor de Latín, que hizo algo más que enseñarle la literatura clásica: le hizo amarla, como la amaba él, como se ama a las cosas que nos acompañarán para siempre, que nos aliviarán los deudos y nos aumentarán las venturas; con ese amor sin fallas para la verdad que hemos elegido y hemos creado con nuestro afán; que sólo tiene comparación posible con el que se profesa a la mujer amada.

La revelación universitaria.

En el fecundo mundo intelectual de Santander en que creció don Marcelino, era también mi padre figura destacada. Hombre de entusiasmos impetuosos, de enorme capacidad de trabajo y de palabra nobilísima, figuraba en primera línea entre las grandes esperanzas de aquella animosa generación. Su amistad con Pereda era fraternal. Igualmente estrecha era la que le unió con don Marcelino.

Trasladado a Madrid, durante los meses de invierno, para ejercer la profesión de abogado, mi padre era en la corte agente literario de sus dos grandes amigos. A Pereda, entonces en plena producción y muy perezoso para abandonar su ciudad, le dirigía la impresión y corrección de los libros. El gran escritor le llamaba "mi cónsul en Madrid". Igual relación tenía con Menéndez y Pelayo. Mi padre fué quien dirigió el grupo de estudiantes y de jóvenes admiradores que sostuvieron con su entusiasmo el de don Marcelino, cuando éste, a los veintiún años, antes de la edad reglamentaria, obtuvo su cátedra de la Universidad de Madrid, en oposiciones memorables por sus intrigas y por el talento magnífico de los que las realizaron, que eran, junto con el imberbe joven santanderino, Canalejas y Sánchez Moguel: dos grandes figuras de la literatura española; y Milego, un estudioso profesor del Instituto de Toledo, lleno de méritos, en el que muchos pronosticaban al futuro profesor.

¡Cuántas veces he oído referir a los amigos de Menéndez y Pelayo la gesta de aquellas oposiciones, famosas en la historia de nuestra Universidad! La crónica de la triunfal batalla del ilustre mozo era trasmitida a Santander, en epístolas fogosas, por mi padre. Una de estas cartas, dirigida a Pereda, ha sido publicada, no ha mucho, por Artigas. Sin duda, se leían y se escuchaban con entusiasta emoción en las tertulias montañesas. Hoy, dan una idea exacta de lo que era, desde casi su niñez, don Marcelino y de lo que representó en su patria regional.

La ciencia del juvenil opositor fué tal, que las intrigas políticas, los intereses inconfesables y los méritos indiscutibles de los otros opositores fueron arrollados como por un huracán, que no otra cosa parecía el torrente inacabable de erudición y de crítica genial que brotó de los labios de Menéndez y Pelayo, ante el asombro del público y de los jueces. Don Juan Valera, que formaba parte del tribunal, solía contar años después, y yo se lo oí, la estupefacción de los jueces, que eran nada menos que él, Valera, y don Manuel Milá y Fontanals, don Aureliano Fernández Guerra, don Manuel Cañete, don Cayetano Rosell don Francisco Fernández y González y don Tomás Rodríguez Rubí: es decir, todos ellos figuras egregias de la literatura o de la crítica hispánicas.

El verano en Santander.

Obtenido el triunfo universitario, y con él una consagración nacional y universal de polígrafo y literato de primera magnitud, que había de aumentar hasta su muerte, Menéndez y Pelayo dedicó su vida, con ausencia absoluta de viajes y apenas de las más indispensables diversiones, a su trabajo ingente; durante los inviernos en Madrid y en los meses de verano, que dilataba todo lo posible, en Santander, donde tenía la mayor parte de sus libros, los que fueron germen de la extraordinaria biblioteca actual. En Madrid recogía apuntes y escribía relativamente poco.

Sus grandes períodos de trabajo eran en la paz de la capital montañesa, en la que, con sus amigos, se sentía siempre feliz. De aquella época surgen mis recuerdos de niño, en Santander y sus alrededores, donde no hay un rincón que no esté unido a lo más fervoroso de mi pasado. Nuestras estancias veraniegas en Santander eran también muy prolongadas, y por la relación de mi padre, habitual contertulio de Menéndez y Pelayo y de Pereda, conocí a ambos. Y con ellos a otro hombre insigne que ha tenido también parte importante en la formación de mi espíritu y de los rumbos de mi vida, don Benito Pérez Galdós, que vivía gran parte del año en Santander y era íntimo amigo de Pereda y de don Marcelino. Y también de mi padre, que le sirvió, además, de abogado, con don Antonio Maura, en los múltiples pleitos de su bohemia financiera y en los enredos que sus editores le procuraron.

La lección de tolerancia.

Las tardes de muchos días se reunían todos en el parque de *San Quintín*, que así se llamaba la casa de Galdós, que se alzaba, y se alza aún, convertida en Museo, en el borde del mar, cerca de la península de la Magdalena, donde después se construyó el Palacio Real y la Universidad Internacional de verano. En ese parque y al lado de estos hombres insignes transcurrieron muchas horas de mi niñez.

La oposición política entre Galdós, que atravesaba entonces, en la época de *Gloria* y de *Doña Perfecta*, es decir, los momentos más agudos de su liberalismo, de un liberalismo anticlerical muy de su siglo, y sus dos amigos, Pereda y Menéndez y Pelayo, hombres de la derecha, no era motivo suficiente para empañar su amistad entrañable. Antes bien, la continua controversia ideológica y política parecía que con su calor consolidaba el lazo de su mutuo afecto y de la noble admiración que se profesaban.

De los beneficios que debo a aquellas mis relaciones infantiles, ninguno puede compararse al ejemplo de aquel espectáculo de tolerancia, tan leal y ejercido por tan insignes maestros.

Cierto que Galdós, en contra de lo que se cree por casi todos los que le han juzgado por sus gestos literarios, era no sólo un hombre fundamentalmente bueno, sino profundamente religioso. Tengo desde hace años el propósito de escribir su biografía; y quisiera tener, en mi vida apresurada, el lugar y la meditación necesarios para hacerlo. Y acaso lo que más me mueve a desearlo es el deshacer la leyenda de su escepticismo; el poder demostrar el hondo misticismo de su alma delicada, con pruebas que me proporcionó la intimidad con él, y que duró hasta que muchos años después murió asistido por mí, en Madrid. Anticipo de esa biografía son otras páginas mías en las que he relatado mis visitas de niño y de mozo a Toledo acompañado de Galdós. En ellas cuento su predilección por las visitas a las iglesias y conventos de la imperial ciudad y su trato amistosísimo con las monjas de las diversas congregaciones, a las que conocía una por una y a las que profesaba singular estimación (1).

Su incurable timidez y la flojera de su voluntad le hacían aparecer silencioso, u opuesto a sus verdaderos sentimientos, cuando trataba con las gentes del mundo, como no fueran de su más íntima confianza. Mas con los niños, como yo, se explayaba en una verborrea copiosa y alegre, llena de graciosas puerilidades, mezcladas con la experiencia, llena de humor, de su vasta y profunda vida. Los

---

(1) MARAÑÓN: *Elogio y Nostalgia de Toledo*. Madrid, 1940.

que tuvimos el privilegio de conocerle en estas condiciones no podremos olvidarlo jamás.

De estos aspectos íntimos de su espíritu, ninguno de los hombres que le rodearon podrá saber tanto como yo. Pero en uno de sus libros, quizá el mejor de todos, en su inmortal *Angel Guerra*, está escrito, para todo el que no sea ciego, hasta qué punto sentía y con cuánta amorosa ciencia conocía el problema religioso de las almas y el sentido profundamente cristiano de su interpretación.

Pereda era de un derechismo declarado, absolutista y riguroso. Odiaba el movimiento liberal de su siglo. No recuerdo ahora si estaba públicamente inscrito en el partido carlista, pero desde luego profesaba sus ideas. Y en cuanto a Menéndez y Pelayo, en aquellos años mantenía con impetuosa violencia su gesto tradicionalista y antiliberal.

Tamañas diferencias ideológicas no perturbaron jamás, repito, la relación de los tres grandes hombres. La correspondencia entre Galdós y Pereda, en la que, en largas epístolas, se criticaban mutuamente sus libros, apenas publicados, correspondencia que tal vez algún día vea la luz, para lección de ciertos extremistas de una y otra banda, será, además de muestra maravillosa de esa literatura epistolar, cuya decadencia deploraba yo hace poco, ejemplo quizá no igualado de tolerancia inteligente entre dos hombres de ideología distinta, sin menoscabo del rigor de sus respectivas posiciones.

Lo mismo puede decirse de Menéndez y Pelayo,

El ímpetu agresivo de sus años jóvenes se fué templando con la edad. Y sin ceder un ápice de su posición españolista, tradicionalista, archicatólica, se fué transiendo de un noble espíritu de bondadosa comprensión para todo aquello que no compartía.

Yo no he dudado en llamar liberal a esta actitud del maestro. Liberal, en el sentido humano y misericordioso, ajeno, por supuesto, a toda filiación o partidismo político. En la primera edición de la *Historia de los heterodoxos*, Menéndez y Pelayo atacó la posición de Galdós, con violencia que rozó casi los límites de la cortesía. Pero los que han querido, en estos últimos tiempos, utilizar las ideas de Menéndez y Pelayo, no como un gesto de valor universal sino como banderín de política pequeña, no es este ataque juvenil a su amigo, el gran novelista, el que deben recoger, sino las nobilísimas palabras del discurso con que, ya casi viejo, contestó a éste, a Galdós, en su ingreso en la Real Academia Española de la Lengua (1).

En estas páginas, don Marcelino se duele y se revuelve iracundo contra los que ya entonces confundían su recta y limpia actitud de polémica ideológica con una postura política intransigente. Y reitera con vehemencia su admiración y su respeto hacia el autor de esos *Episodios Nacionales* y de aquellas *Novelas Contemporáneas*, parejas en la

(1) Comento esta misma actitud nobilísima de Menéndez y Pelayo en mi ensayo *Nuestro siglo XVIII*, en *Vida e Historia*, 2.ª edición, Espasa-Calpe. Buenos Aires, 1940.

inmensidad de los héroes humanos creados y en la riqueza de pasiones a la *Comedia Humana* de Balzac.

Cuando, con esa gravedad, inconsciente pero certera, de los niños, buscaba yo la compañía de los grandes hombres que el destino me había deparado cerca de mí, no me daba cuenta que este supremo gesto de tolerancia era la gran lección que aprendía de ellos. Porque después, en la vida, de lo único que he podido enorgullecerme es de haber sabido cumplir, aun en las horas de pasión, que no han escaseado en mi camino, con aquella norma de comprensión para las ideas de todos y de deseo de convivencia con los que no pensaban como yo.

El lector.

Al lado de estos recuerdos profundos están otros más epidérmicos, pero a veces más pintorescos. Recuerdo, por ejemplo, la impresión que nos hacía de muchachos el ver la multitud de libros que don Marcelino llevaba siempre en el bolsillo, cuando hacía su viaje en el tranvía de vapor a la playa de El Sardinero; ya deteniéndose en la casa de Galdós, ya continuando sin interrupción el viaje de vuelta a la capital. Muchas veces le acompañamos sentados silenciosamente, a su lado. Uno de sus biógrafos dice, informado por admiradores apasionados del maestro, que éste leía los volúmenes inagotables que exigía su sed de saber, de cabo a rabo y con minuciosa atención. Esto no es cierto. Sin duda, se eternizaría leyendo y desmenuzando los libros fundamentales. Pero en las obras y documentos que le servían de información habitual o que tenía que leer por compromiso o con la esperanza de encontrar algún dato útil a su labor, es cierta, certísima, la fama de la asombrosa rapidez con que los devoraba.

Un volumen corriente de 300 ó 400 páginas no duraba para su atención de lector más que unos quince a treinta minutos, y a veces menos. Con instinto maravilloso, agudizado por su experiencia de inigualado lector, sabía, desde que abría el volumen, dónde estaban esas dos o tres páginas esenciales que tienen todos los libros, ese "algo bueno" que contiene hasta el libro más malo, según la sentencia que Don Quijote no inventó, pero sí inmortalizó. Y, sin vacilar, sin rodeos vanos por la selva de la retórica, se iba derecho hacia esas páginas, sin que el instinto le fallase jamás. El lector más atento de cualquiera de esas obras no podría dar cuenta de su contenido, después de varias horas de su lectura, como la daba el maestro, tras aquel vuelo rapidísimo sobre sus páginas, que tenía mucho de juego de mental prestidigitación.

Con esta técnica, despachaba tres o cuatro volúmenes en cada viaje. El examen del último ocurría, por lo común, durante la estación que al terminar hacía, antes de entrar en su casa, en el famoso Café del Ancora, famoso sobre todo por haber sido durante tantos años objeto de las visitas sistemáticas del insigne escritor.

Apología de la ciencia española.

Así aumentaba sin cesar el caudal inmenso de su sabiduría. Y, a veces, alguna vez, en tan inmensa faena, su atención se descuidó. En otra parte he criticado, si crítica puede llamarse a mis observaciones inundadas de respeto, el error con que, por ejemplo, juzgó don Marcelino algunos escritores científicos de la España tradicional, alabándolos en exceso. Este error se debía, sin duda, a lecturas apresuradas. Sinceramente creo que los estudios de Menéndez y Pelayo sobre la ciencia española son lo menos sólido de su obra inmortal. Alienta en ellos un entusiasmo español que subyuga; y, a favor de ese entusiasmo, su estilo adquiere, en algunas de sus páginas, grandilocuencia de orador más que de escritor. Pero le falta una crítica severa y directa de la mayor parte de aquellas docenas y docenas de nombres españoles que, como catarata avasalladora, surgen de su pluma, para demostrar que en todas las épocas de nuestra vida nacional y en cada sector de la ciencia tuvimos copiosos y sobresalientes cultivadores.

La verdad es que el problema de la ciencia española, esencial para nuestra raza, es un problema de crítica severa y no de apologías. Y en este sentido me parece más exacta y, sobre todo, más fecunda que la posición de Menéndez y Pelayo, la de Ramón y Cajal, que, dotado de la misma exaltación patriótica, reconocía, sin embargo, la debilidad del genio científico de la raza, y se dolía de él, analizando con tesón y con claridad cruda sus causas, para encontrar en ellas, y en el dolor de saberlas, su lógico remedio.

No fué, pues, por sus apologías, patrióticas, pero no siempre exactas, sino por su propio ejemplo de investigador y de erudito, por lo que Menéndez y Pelayo prestó servicios impagables a la ciencia española. Su obra, su obra misma, fué precursora del inmenso despertar del genio español en la segunda mitad del siglo XIX. Estos años, colmados de hombres sobresalientes, han sido, con justicia, calificados de "Segundo siglo de oro español". Su representación más genuina fué la llamada generación del 98, a la que la pasión política ha querido hacer responsable de pesimismos sombríos y desalentadores, sin reparar en que, como toda obra de creación, es, cualesquiera que sean sus errores, ganancia pura para la historia del genio de la raza.

Nadie ha dicho hasta ahora que lo que caracteriza a la generación del 98 no son tanto sus grandes pensadores, literatos y artistas, como sus hombres de ciencia.

Al fin y al cabo, Ganivet, Unamuno, *Azorín*, Valle Inclán, Baroja, representan el rebrote espléndido de una tradición ininterrumpida en nuestra raza, cuya historia está sembrada de artistas geniales. Lo que da, por el contrario, matices de innovación radical a aquellos años de la vida española es la aparición de Cajal y de una pléyade de naturalistas, fisiólogos, médicos, historiadores e investigadores que logran dar realidad al sueño de Feijóo: el que por vez primera se cotizara en el mercado del mundo la ciencia experimental y, en general, toda la ciencia de España. Entiéndase bien: no este o el otro hombre eminente, sino la ciencia, en general.

Antecedente inmediato de ese movimiento es, ya lo hemos dicho, Menéndez y Pelayo. Sus disculpables exageraciones de historiador de la ciencia española se compensan por su eficacia, generadora de ciencia verdadera. Buena parte de ese brote de investigadores diecinuevecentistas nacieron de semillas que su mano sembró. Como he dicho en otro lugar, si ahora viviera don Marcelino y tuviera que reeditar sus obras, es cierto que tendría que añadir algunos capítulos a los *Heterodoxos;* pero serían mucho más importantes los que tendría que agregar a su *Historia de la ciencia española.*

Alguna vez, de las últimas que le vi, en las habitaciones modestísimas que ocupaba en el viejo caserón de la calle del León, como bibliotecario de la Real Academia de la Historia, solía hablar de este tema, de la ciencia española, que siempre le apasionó; y estaba mucho más cerca que en su juventud de la actitud que digo.

Ocaso y muerte.

Por entonces don Marcelino se sentía ya muy enfermo. Solía yo acompañar a su médico y gran amigo, don José Ortiz de la Torre, uno de mis maestros del Hospital, montañés como él, que a la sazón gozaba de la máxima popularidad profesional y de la más alta clientela de España. El rostro de don Marcelino empezaba a demacrarse bajo la barba blanca, mientras el vientre se abultaba cada día por la enfermedad del hígado, que pronto había de poner fin a su gloriosa existencia.

Una de las veces que Ortiz de la Torre y yo bajábamos la escalera de piedra de aquella casa, insigne por tantos motivos, y más que por ningún otro, en adelante, por haber servido de taller de trabajo y de retiro para la meditación de Menéndez y Pelayo, el gran cirujano, que profesaba inmenso cariño a don Marcelino, me dijo casi llorando: "Dentro de poco nos habrá dejado para siempre." Sus pronósticos se equivocaban raras veces. Y entonces acertaron también. El propio don Marcelino sabía que su fin se acercaba ya. Tenía la conciencia tranquila de haber trabajado como un gigante; y de que su paso por el mundo sería fecundo. Pero le entristecía la vasta obra que aun tenía proyectada y que no terminaría jamás.

Su cristiana resignación, llena de noble naturalidad, sin una sola queja, edificaba a sus amigos. Esta misma certeza de su fin le hacía cuidarse mal; y si se cuidaba algo era más por someterse al amor de los suyos que por convencimiento de que los enojos del tratamiento sirvieran para algo más que para alargar algunas semanas su vida.

Tenía, además, una fe limitada en la Medicina, achaque común a toda su familia, que alcanzó hasta su hermano, Enrique, delicado poeta, que era médico y no ejerció jamás su carrera; porque, desde que la empezó, estaba absolutamente convencido de la ineficacia de nuestra ciencia. He conocido en mi vida a muchos médicos que ahorcaron sus hábitos y se hicieron financieros, escritores, aventureros o lo que fuera. A todos ellos se les conocía, bajo el uniforme de la nueva profesión, el pliegue médico, como un perfume lejano e inconfundible. El que ha sido médico reacciona como médico mientras vive. A Enrique Menéndez y Pelayo no se le conocía nada. El mismo se olvidó en absoluto de que lo había sido, a los pocos meses de terminados sus estudios. Tan en absoluto, que una tarde, bailando con una señorita, como ésta se desmayara —porque en aquellos tiempos felices las señoritas se desmayaban todavía— el buen Enrique, creyendo que era un accidente grave, la abandonó sobre un silla y, sin tomarle el pulso siquiera, salió corriendo de la casa para buscar un médico.

Entre nosotros, la muerte de Menéndez y Pelayo fué un duelo familiar, sobre el que sintieron todos los españoles. Para todos, aun para los incultos, Menéndez y Pelayo equivalía a algo sobrehumano. Para los que estuvimos cerca de él, había despertado en nuestra alma, con el despertar mismo de la conciencia, un sentimiento de admiración sin límites. Sus libros nos sirvieron para aprender a deletrear. Sabíamos, y aun sabemos de memoria, párrafos enteros de su obra. En nuestra casa se veneraban como reliquias los manuscritos de don Marcelino, entre ellos el original de la admirable *Epístola a sus amigos*, que escribió para agradecerles el regalo de la colección de los clásicos griegos y latinos. Aquella *Epístola*, inmortal, que empieza dirigiéndose a los libros ansiados con una imprecación —"¡Al fin llegaron!"— que parece un suspiro tan hondo como el del amante que espera la llegada de la novia.

La amada verdadera.

Y, en realidad, la grandeza de la vida de Menéndez y Pelayo fué precisamente el convertir su trabajo, sus libros, en su único amor. No estoy de acuerdo con los que dicen que don Marcelino es su obra, y que las anécdotas de su vida apenas tienen significación ni valor. La obra de Menéndez y Pelayo es, sin duda, un ingente monumento. Pero la vida de todo creador es siempre tan ejemplar como la obra misma; y a veces mucho más.

Los biógrafos nos hablan de los largos años de meditación del maestro, en su estudio de Santander; en las habitaciones, perpetuamente estudiantiles, de los hoteles que habitara en Madrid; en sus aposentos, casi conventuales, de la Academia de la Historia. Pero en esas horas, largas, en efecto, interminables, ¿qué pasaba en su alma? Estudiaba, meditaba, escribía, sí. Pero ¿cuáles fueron sus pasiones y sus tentaciones, y sus luchas para vencerlas, y sus ambiciones frustradas; cuáles fueron las voluntarias amputaciones que hizo de muchas rosas fragantes del inmenso jardín de su corazón?

Todo era grande en él; y el eco de estas tempestades, que a todos nos conturban, debió tener en su alma resonancias ciclópeas.

Yo busco siempre al hombre, aun en el grande hombre, que suele ser tan poco humano; le busco, porque creo que es, siempre, lo esencial. La obra, por excelsa que sea, está tocada de la humana imperfección. Pero el hombre que la crea nos subyuga aún más porque tiene la huella del dedo generador de la Divinidad. Y así Menéndez y Pelayo fué mucho más interesante como hombre de lo que quieren que sea los que a fuerza de fervor científico han deshumanizado su obra, como si hubiera brotado por un milagro de su frente, a la que, sin embargo, caldeaba desde lejos un corazón como los demás.

Allá dentro había un hombre, profundamente religioso, pero que jamás se desligó del mundo, poblado de seres humanos y de llamas de pasión. Y muchas noches, durante muchos años, tuvo que luchar con heroicos esfuerzos para no ser infiel a la novia elegida, exigente de todo su esfuerzo y de todo su amor: la Ciencia; que, para amarla más, era para él, tan español, ciencia inexorablemente española.

¿Por qué hablar de esto, que, al fin, es también gloria suya?

Hoy sabemos cuán impetuosos fueron los entusiasmos juveniles de don Marcelino por la belleza y la gracia de la mujer y cómo los supo vencer, y cómo los supo dignificar en el crisol de su educación humanista. Unas estrofas pulidas, en versos clásicos, horacianos, que hoy nos deleitan, son, acaso, la llama de la hoguera en que se quemó una noche de pasión.

La parte publicada de su interesantísima correspondencia con don Juan Valera deja escapar de vez en cuando los entusiasmos del joven sabio por varias de las bellezas que entonces poblaban los salones de Madrid, a los que don Marcelino era invitado, a veces, por sincera admiración, y otras, por ese esnobismo con que algunos grandes señores gustan de incluir al intelectual de moda en el desfile de seres, buenos o malos, de su pequeña corte.

Un soneto en un álbum.

Hace muy poco tiempo me ofrecieron para comprarlo uno de esos álbumes de autógrafos, en los que los personajes célebres o que pasan por célebres, de cada época, van dejando su firma o un pensamiento, como se dejan los corderos la lana en las zarzas del camino; un poco a la aventura, sin saber si lo guardarán manos piadosas o si unas manos frívolas, o simplemente el destino, los arrojarán al siguiente día al viento de la calle. El que yo tuve en mis manos, en esta ocasión, era un libro magníficamente encuadernado, con armas repujadas. Contenía la huella, admirable casi siempre, del paso, gracioso o solemne, de los hombres representativos del gran siglo español. Había pertenecido a una señora de gran belleza y de gran virtud. Con melancólico interés recorría yo sus páginas, ya amarillentas, cuando tropecé con un soneto de Menéndez y Pelayo, dirigido, sin duda, a la dueña del álbum. No estaba escrito directamente sobre sus páginas, sino, para dar mayor emoción al misterio, en un papel de carta, pegado, después, a una de las anchas hojas. Don Marcelino fué, en contra de lo que se ha dicho, un excelso poeta; pero este soneto es, sin duda, su mejor poesía. Escrito en una hora de pasión —lo revela el trazo febril de la pluma— exalta en él la belleza de la mujer, de una mujer que no nombra, pero que se adivina.

Y su estro, trabajado en el clasicismo, desborda, aquí, el cauce solemne de Horacio para derramarse en ondas agitadas, que recuerdan los momentos más atrevidos de Ovidio y de Anacreonte.

Uno de los contemporáneos del maestro me ha referido, no hace mucho, que unos años después de la fecha en que fueron escritos estos versos bajo el cielo candente de Andalucía, asistía con el gran polígrafo a una representación de gala, en un teatro de Madrid. En el palco que hacía frente al que ocupaban entró de pronto una señora, ya madura, pero aun de belleza resplandeciente. La acompañaba su marido. El gran escritor, al verla, palideció. Era ella. Por la imaginación del gran polígrafo debió pasar, súbitamente, la imagen de esa "otra vida" que pudo seguir y que no siguió, para realizar la obra gigantesca, que alcanzaba también, por entonces, como la belleza de la amada perdida, su gloriosa madurez. Y casi imperceptiblemente, desde lo hondo de su humor de montañés, subieron a sus labios estas palabras que, sin duda, contenían, como todos los humorismos, tanta amargura como dulce jovialidad: "¡Dios mío, de qué felicidad me he librado!"

Jerarquía, belleza, libertad.

Todo aquello, la pasión juvenil fué vencida, sí, en lucha heroica, para ser fiel, plenamente fiel, a su creación. Para que nadie robase un minuto del tiempo, ni un chispazo del genio, que quiso inmolar a su obra, es decir, a España.

Porque, al fin, la gloria más insigne de Menéndez y Pelayo no se levanta sobre su labor creadora, con ser inmensa, ni sobre las perspectivas que dejó abiertas al trabajo de los otros, tan vastas, que, como ha dicho uno de sus discípulos dilectos, requerirán para colmarse el trabajo de varias generaciones.

Por encima de todo ello está su visión imperturbable de que el camino futuro de España era la continuación de su mismo camino antiguo, el de su tradicionalismo, no limitador, no intransigente, no mezquinamente nacionalista, sino universal.

Las ventanas de su poderoso espíritu no se cerraron jamás a aquellos "aires de afuera", que su precursor, Feijóo, pedía para el español con la misma obsesión angustiosa con que el que se ahoga pide el aire para respirar. Su técnica de investigador se perfeccionó incesantemente con los utensilios más modernos de la ciencia exótica. Pero su pensamiento central era siempre el mismo: a saber, que la obra civilizadora de la raza no ha alcanzado aún su plenitud y que hay que regar sin reposo, con nuestro afán mejor, con nuestra sangre, si es preciso, el árbol maravilloso, el de las profundas raíces latinas, el de las frondosas ramas universales, que extendieran su sombra generosa por encima del mar, cuando el mar era sólo un misterio, hasta el otro continente.

¡Cuántas cosas han pasado desde que el gran titán sacrificara a sus ideales lo que muy pocos hombres son capaces de sacrificar! Porque la señal más noble del varón no es su ímpetu creador, sino su capacidad de renunciar. ¡Cuántas cosas, y, en realidad, qué pocas cosas, si las medimos, no con la pauta de nuestra vida mortal, que es sólo un soplo, y con el dolor de nuestra carne, que es una gota en el trajín creador de las civilizaciones!

Ahora, todos volvemos la mirada en la dirección que señaló su mirada aguda. Su espíritu resucitará en frutos de paz y de españolismo y de fecunda latinidad. Y de santa libertad: la libertad que se acepta y se usa, y si es necesario se inventa, como un servicio a los otros, y no la que se exige y se degrada en una imposición a los demás.

En la invocación insuperada a su región santanderina, que para él era suma y compendio de España, escribió un día Menéndez y Pelayo:

> Puso Dios en mis cántabras montañas
> Auras de libertad, tocas de nieve.
> Y la vena de hierro en sus entrañas.

Estos versos pueden servir de divisa a su ideología. Y a la nuestra. El hierro, que es la jerarquía disciplinada. La nieve, que es la belleza cándida. Y por encima de la nieve y del hierro, la libertad, las "auras de Libertad", puestas, como cimera de nuestro espíritu, por el mismo Dios; la misma libertad que el alcalde de Zalamea excluía del poder de los reyes; la que para él, para Menéndez y Pelayo, el tradicionalista, era indispensable para cumplir la obra santa de la creación.

JUAN DE DIOS HUARTE

(EXAMEN ACTUAL DE UN EXAMEN ANTIGUO)

La primera hazaña.

Don Juan de Dios Huarte nació en el pueblo de San Juan de Pie de Puerto, entonces y ahora navarro; español siempre por la gloria de este su insigne hijo. Hizo, al parecer, muy probablemente sus estudios en la Universidad de Huesca, y allí debió residir y ejercer su profesión, errando después por los pueblos de España, hasta afincarse en Linares, en tierra de Jaén, tierra áspera y dura, tan lejos, en la topografía y en el alma, de su montaña nativa.

He aquí la primera hazaña del gran escritor. Era, en efecto, la edad renacentista, en la que los hombres superiores surgían sin saber cómo, de los climas más inesperados. En un pueblecito de Castilla, sin otra cosa que el cielo sobre los páramos, nacía un místico inflamado de pasión celestial; o entre los rastrojos polvorientos de Extremadura aparecía un conquistador. Fuerzas humanas escuetas y simples; esqueletos recios, cubiertos de cuero tostado y llenos de prodigioso dinamismo. Pero el caso de Huarte es diferente. Huarte no es un místico ni un hombre de acción. Es un aristócrata del ingenio, refinado y casi decadente; lleno de preocupaciones intelectuales, de objeciones morosas a sus propios pensamientos, de complacencia de sus mismas dudas, de erudición finísima en la rebusca y en el hallazgo de las autoridades. Y este hombre sutil se crió en el pueblecito solitario, al pie de los bosques milenarios de Roncesvalles, y pasó los años de su formación adolescente, y luego los de su madurez social, en Huesca, la ciudad austera y extremada de la gran catedral, la más severa de España, cuya nave solemne y ruda es el monumento arquetípico del alma aragonesa; del alma aragonesa seria y pura, la anterior al nacimiento y popularidad del baturrismo, que es el veneno de Aragón.

No fué, ciertamente, un erial científico la Huesca universitaria del siglo XVI. Pero su ambiente intelectual no era propicio a la gestación de obras como la de Juan de Huarte, que parece pensada entre coloquios de doctores que están ya de vuelta de la humana sabiduría y entre eruditos, un tanto escépticos, de las ciencias naturales. Huesca, por entonces, cifraba en su Universidad el mayor de sus orgullos. Diego de Aynsa, hablando de ella, escribe con noble vanidad que "una de las mayores grandezas de que se puede gloriar una ciudad bien regida y gobernada es la que de ella haya estudios generales, donde la juventud sea industriada y enseñada". Pero en la gloriosa institución, cuya antigüedad, según pretenden los eruditos, se remonta a los tiempos de Sertorio, los estudios de Medicina estaban ahogados por los de Teología, los canonistas y legistas, los de los tres cursos de Arte y, por fin, los filosóficos. Y en el mismo libro de Huarte se aprecia bien este desequilibrio de las disciplinas: un claro predominio de las abstractas con detrimento de las naturales; y, por ello, el defecto que todos le han achacado es la poca medicina o biología de observación que ostenta, oculta entre la selva enmarañada de los conceptos teológicos y filosóficos de su tiempo.

El hombre frente a sí mismo.

Siendo cierta, en el fondo, esta crítica, no es enteramente justa. La época en que Huarte escribió su obra inmortal se caracterizó por la revolución ideológica de las mentes. La Reforma lo llenaba todo; y la Reforma no fué otra cosa que una gran subversión de principios que puso frente a frente a los hombres; y, a veces, a cada hombre consigo mismo. Los seres humanos que han vivido una era de transformación de la Historia se han visto impelidos a tomar posición en uno u otro bando de la batalla, y, tal vez, se han dejado en ella la reputación o la vida. Pero, para mí, la parte profunda y feroz de la lucha no es nunca la de las banderías, la que se ve, la de la controversia, en la plaza pública, con sus gritos y su polvareda de entusiasmos y de odios. Hay, siempre, por debajo de ella, otra contienda íntima, sutil e implacable, llena de entrañables sobresaltos y dolores; y es la que se desarrolla en la intimidad recatada de la propia conciencia de los combatientes. El tomar una actitud pública nos obliga, en efecto, ante los que nos siguen, y aun ante los que nos combaten. Nos obliga ante la Historia a mantenerla para no quebrar la columna vertebral de nuestra eficacia, mientras nuestra conciencia, claro es, no se subleve.

Pero ¡cuántas veces el héroe, el caudillo, el apóstol, han perdido la fe en su bandera, y se ven obligados, sin embargo, a seguir enarbolándola e incluso a morir por ella! Tremenda situación. Yo tengo por cierto que muchos mártires, de éstas o de las otras ideas o dogmas, han muerto proclamando heroicamente su fe; mas en sus corazones hacía tiempo que la fe se había roto y marchitado. Nuestra ortodoxia de hombres del montón está, a veces, llena de nubes que la empañan, y que sólo nuestros ojos ven pasar. Acaso otras veces, sin darnos cuenta, la rebelión contra la propia fe asoma al exterior su gesto airado, un instante, entre la claridad del entusiasmo. Unicamente lo percibirán y nos advertirán de ello los ojos avizores de nuestros enemigos, y por eso hay que respetarlos tanto, porque es cierto que los enemigos unas veces inventan, para perdernos, errores y faltas nuestras, pero otras no hacen más que descubrir arcanos oscuros de nuestra subconsciencia, de los cuales huyen nuestros propios ojos con instintivo egoísmo.

Pienso en todo esto pensando en Huarte. Porque es evidente que su alma estaba prendida en la inquietud teológica de su clima histórico. Y que, aun cuando luchaba bajo los estandartes de la ortodoxia católica, la raíz de su alma estaba infectada por el gran virus corrosivo de la herejía, que a unos envolvió como un huracán, pero a otros les fué socavando la fe primitiva en silencio y sin que ellos mismos lo advirtieran. Su libro está dedicado al gran rey, católico e intransigente, Don Felipe II; y en cada cual de sus páginas aparece una protesta de ortodoxia. Pero no en vano la mirada penetrante y casi siempre exacta de los inquisidores cayó, como el águila que se abate sobre la presa que los demás no ven, sobre algunos pasajes de su doctrina. No es cierto, no, como dice la mayoría de sus comentaristas, que las páginas tachadas por el Santo Tribunal fueran inocentes. Nos lo parecen a nosotros, que tenemos una sensibilidad distinta de la de los guardianes de la fe en la España del siglo XVI. Pero éstos sabían bien lo que se hacían; y su instinto, infinitamente susceptible, olfateaba, con segura intuición, las grietas invisibles, las que los demás no veían, en la fe de los españoles.

A esta tempestad que rugía en lo hondo de la conciencia de Huarte, como de tantos hombres más de su tiempo, se debe, sin duda, esa inquietud terrible que se presiente por debajo de la espuma teológica y filosófica que encubre el pensamiento de nuestro gran doctor. Pero, detrás de ella, ¡qué admirable tesoro de observación natural, qué profundo y seguro instinto biológico! Aun hoy, cuatro siglos después, podemos utilizar gran parte de sus datos clínicos y de sus sagaces sugestiones psicológicas.

Contraste de la universalidad.

La prueba del calibre científico, y no meramente discursivo, de la obra de Huarte está en la rápida difusión que tuvo en el extranjero. No hay, en efecto, contraste más seguro de la categoría científica de una obra humana que su universalidad. La belleza puede ser nacional o regional o estar afecta a una época determinada de la Historia. Hay un arte que entusiasma a un pueblo determinado o a tal cual siglo, y que parece horrible a los pueblos del otro continente o a las gentes de dos siglos después. Pero la pura ciencia, en cuanto es expresión de la verdad, es necesariamente universal y eterna. El descubrimiento de Arquímedes, o el de Newton, o los de Pasteur, al minuto de ser expresados en palabras, ya no eran de Grecia, ni de Inglaterra, ni de Francia, sino del mundo. Tampoco del año en que surgieron ni de su siglo, sino de siempre y para siempre.

Por eso, repito, la más segura señal de la legitimidad científica de un descubrimiento, o de un libro, es su pronta naturalización fuera de la patria. Así ocurrió con el *Examen de Ingenios*, que cinco años después de la primera edición castellana (Baeza, 1575), aparecía en Francia (Lyon, 1580) y después en Italia, donde se reprodujo por varios libreros, y en Alemania e Inglaterra. Ninguno de los otros libros de la Universidad de Huesca y de las otras, muchos nacidos con aparatosa solemnidad, alcanzaron la misma suerte.

Peligro de la universalidad.

Sin embargo, no podríamos dejar lanzada al viento esta idea de valorar la categoría científica de un libro por su cotización en el extranjero, sin algunas aclaraciones.

El asentimiento universal a una obra científica, ¿es siempre índice, en efecto, de su categoría? Muchas veces, ya lo hemos dicho, sí; y el más seguro de todos. Pero no siempre; y no debemos olvidarlo. Los pueblos sin un ambiente científico muy denso, como ocurre al pueblo español, propenden a hacer del *extranjero* un tabú. Por lo mismo que se sienten lejos de él y hoscos hacia él, se doblegan en seguida, con demasiado servilismo y con demasiada poca crítica a sus dictámenes. Es cierto que la mayoría de nuestras legítimas glorias en la ciencia han llegado al entendimiento y al corazón de los españoles cuando las autoridades de Europa les habían dado el espaldarazo de su aceptación. Pero es cierto también que muchas falsas reputaciones han corrido durante largo tiempo por todo el ámbito peninsular como glorias auténticas, nada más que por eso: porque volvían traducidas a un idioma extraño y acompañadas de elogios de los críticos de más allá de San Juan de Pie de Puerto.

La aceptación universal es la consagración legítima de una obra de ciencia; pero la crítica extranjera es tan falible como la nacional, y muchas veces más que la nacional, porque desde fuera se valora excesivamente el elemento circunstancial, el pintoresco, y porque además es siempre grato descubrir en el estiércol ajeno perlas escondidas; nada nos da idea de nuestra superioridad como ver, no el defecto de los demás, sino los méritos que ellos no supieron descubrir en sí mismos. El elogio ajeno no equivale, pues, siempre a cotización definitiva. y es peligroso confundir estas dos cosas.

Olvido del humanismo.

No demos, pues, acatamiento ciego a la cotización que marcan a los hombres las bolsas extranjeras, que muchas veces obedecen a informes falsos o maniobras extrañas. Pero en el caso de Huarte no hubo error. Era, en efecto, un auténtico valor universal, y si tres siglos después de muerto su libro estaba citado y comentado en todas partes menos en España, fué pecado nuestro el no habernos enterado de ello; tal vez también porque la cultura media de los intelectuales españoles no había madurado lo bastante para estimarle en su justo valor. Aun hoy, no hay ediciones populares y copiosas de su *Examen de Ingenios.* He podido comprobar que casi el ciento por ciento de los estudiantes del doctorado y de los médicos jóvenes de gran ambición cultural no conocen ni de vista el admirable volumen, y aun hay muchos que lo poseen o lo han tenido en sus manos, pero no lo han leído jamás.

La decadencia del sentido humanista en nuestra educación es increíble. Y yo no me cansaré de decir a los que me leen que el científico español debe abrir, no ya las ventanas, sino los poros de su espíritu, al aire de fuera; que debe saber los idiomas vivos, para recoger la gran ciencia de ahora en su fuente original; que debe privarse de parte de su pan, si es preciso, para tener y leer revistas y libros extranjeros. Pero tiene el deber paralelo de recoger en sí la savia perdida de nuestra tradición científica; de matizar de humanismo hispánico su educación y su actividad intelectual; de volver a hacer, o de hacer por vez primera, populares y corrientes los nombres de los pocos pero admirables sabios españoles que con el esfuerzo de su genio supieron transmitirnos la luz encendida de una ciencia nacional, a través de cuatro siglos de grandezas guerreras y teológicas, en los que el pensamiento experimental, falto de ambiente, vivía materialmente de milagro.

Orientación profesional y examen de ingenios.

Toda la obra de Huarte está construída en el sentido de lo que hoy llamamos, con mucha menos gracia que él, *orientación profesional.* Con menos gracia y con menos eficacia. Porque yo —quiero declarar redondamente mi pensamiento— no creo, en absoluto, en la orientación profesional. Creo, sí, en cambio, en el *examen de ingenios.* Me explicaré: la orientación profesional se refiere a la elección de oficios o de ciertas profesiones no complejas, y se basa en pruebas de cuya virtualidad dudo fundamentalmente, extraída de exámenes actuales de las aptitudes de los sentidos y de algunas intelectivas del candidato. En suma, nos enseñan la aptitud mecánica del hombre, incluyendo entre la mecánica las reacciones intelectuales de tipo principalmente automático. En cambio, el examen de ingenios, tal como Huarte lo concebía, se basa en el estudio fundamental de la constitución del individuo y no en el de sus aptitudes actuales. Nos enseña, pues, la raíz congénita de sus tendencias para la actividad social, y, lo que es más importante, la razón biológica más íntima de su *afición.*

Lo esencial para cumplir con rigurosa eficacia nuestra misión social *no es la aptitud, sino la afición,* palabra ésta que los españoles debemos ajustar a su sentido estricto de *amor a la cosa elegida* y de *ahinco y eficacia* en ese amor. Porque la tradición taurina tiene entre nosotros tanta fuerza, que al hablar de un hombre con afición, de *un buen aficionado*, pensamos en lo menos eficaz que hay en este mundo; a saber: en un sujeto cuya *afición* consiste en sentarse a ver cómo hacen los demás las cosas que a él le gustan, pero que él no es capaz de hacer. Un hombre lleno de aptitudes para una faena determinada no la realizará si no *la quiere*, si no está aficionado de ella, aunque lleve en su bolsillo el carnet del Instituto de Orientación con nota de sobresaliente. Por el contrario, la afición intensa, cordial, que es, en suma, la *vocación*, vence, con toda certeza, la falta de aptitud. No hay ser humano que no llegue a hacer lo que quiere con *gana*, con vocación, por escasas que sean sus condiciones físicas y espirituales para lograrlo. Afición, vocación, es amor al deber, o deber impuesto por el propio y espontáneo amor a lo elegido. En cambio, la aptitud origina tan sólo un derecho, y los hombres con derechos sólo no van a ninguna parte. Y somos los hombres liberales, hijos de los propugnadores de los derechos del hombre, los que tenemos que decirlo en esta hora solemne de nuestro testamento.

Vocación, temperamento y suerte.

La afición, la vocación nuestra, emana de raíces hondísimas hundidas en nuestra personalidad, y hay que buscarla, por lo tanto, cuando el hombre es niño; casi antes aún: en los escalones de su herencia. Cuando las historias nos cuentan, por ejemplo, que Galeno fué médico porque *un espíritu* le insinuó a su padre, estando durmiendo, que el niño tenía aptitud genial para nuestro arte, debemos interpretarlo como el símbolo de lo que es la vocación: algo que está infundido en la raíz lejana de cada hombre y que debe buscarse mucho antes de la edad reglamentaria de ir al Instituto de Orientación. Mucho antes. Quizá antes de que el ser nuevo haya nacido. Por eso los espíritus orientadores de Galeno se pusieron en comunicación con el padre, porque es en éste donde está la raíz de la vocación del hijo. El único problema está en no delegar por completo el asunto en manos de los espíritus, sino en plantearlo con arreglo a las leyes inteligentes. O, tal vez fuera mejor, en interpretar los espíritus, esto es, la herencia y el azar, como debemos interpretarlos, es decir, como ocasiones favorables, que debe fecundar después nuestro esfuerzo, nuestra voluntad. Así debemos entender el símbolo de los espíritus de Galeno. Y así he entendido siempre la llamada *suerte* de los hombres; a saber: como posiciones ventajosas que el hombre "con suerte" sabe aprovechar, y el "sin suerte" deja pasar, casi siempre por desidia, delante de sus narices. La suerte en las batallas guerreras resulta siempre explicada por una posición o por un minuto trascendente, bien elegidos por el general afortunado. Y en las batallas de la vida pasa igual: la suerte, el hada, el espíritu favorable, el Angel de la Guarda, no son, ni más ni menos, que el arte y la decisión de saber escoger el terreno propicio para pelear. Y esto es también obra de la vocación. Ningún hombre sin vocación tiene buena suerte.

En resumen: la vocación nace del temperamento, y el temperamento corresponde a señales externas, fáciles de estudiar y catalogar. Por donde el examen de los hombres, en su constitución morfológica y espiritual, nos lleva de modo seguro al conocimiento de sus aptitudes. No corresponden las ideas que Huarte, en plena época galénica, tenía de los temperamentos a las que hoy poseemos y propugnamos sobre esta materia. Nuestras ideas son más racionales, más próximas a la verdad que las suyas, aunque las nuestras están todavía lejos de la verdad. No obstante, es indudable que Huarte no sólo estableció sobre bases científicas la orientación de las vocaciones, sino que entrevió con nitidez el problema de las correlaciones entre las distintas formas humanas y los distintos temperamentos, problema que en la actualidad constituye una de las preocupaciones más afanosas de nuestra ciencia.

Libro y no formulario.

Harán mal los que busquen en el *Examen de Ingenios* una catalogación metódica de las formas del ingenio y un cuadro sinóptico de las aptitudes que a cada ingenio corresponden. Eso lo dan —y así anda la cosa— los Institutos de Orientación profesional, pero no un libro en el que se enfoca el problema a vista de pájaro, desde su principio y hasta su última consecuencia. Es, en suma, el de Huarte, un libro que no enseña cosas, sino modos; y por eso es un libro extraordinario. Algunos de los que dicen haberlo leído han expresado esto como queja contra el autor y como razón para no estimarlo y releerlo. Claro está: lo que muchos desean son formularios y no libros; formularios para encontrar, a dos columnas, resueltos los problemas sin necesidad de aprenderlos con esfuerzo y de resolverlos con responsabilidad. Yo suelo argüir a los que así hablan de Huarte que no es cierto que le hayan leído, porque, de haberlo hecho, hubieran encontrado, en su primer capítulo, consignada esta queja que al propio autor hicieron muchos de sus primeros lectores. Y les contesta con mucho garbo que lo que buscaban esos lectores, seducidos por el título, era el ingenio de que están faltos; y él no se lo podía dar. *Un libro* digno de este nombre no es un montón cualquiera de páginas impresas, sino sólo aquel que nos haga pensar y nos enseñe a resolver nuestra conducta. Lo demás pueden ser, a lo sumo, formularios, que tienen sus lectores; lectores también formularios, y no bíblicos.

Agua en el cesto.

Al llegar aquí hace Huarte una observación finísima: que la lectura de las letras sabias ejercita el ingenio del hombre inteligente, pero entorpece todavía más al necio. Para el que no tiene ingenio, la ciencia y el arte no son alas, sino grilletes y cadenas. Esto nos lleva al comentario de la educación de los países poco cultos. Y, para hablar claramente, de la gran obra de la cultura de nuestra España, que tanto nos preocupa a todos. Para el hombre ligero, el del formulario, el problema es simplicísimo: ante un pueblo de cultura retrasada, se le inunda de cultura, y la solución está lograda. Pero sembrar la sabiduría a voleo es tan peligroso como arrojar el grano a la tierra con los ojos cerrados. Nada hay tan difícil como enseñar las cosas fáciles. Por ello nos invade ahora gran desazón a los que siempre predicamos la cultura como vía segura de salvación. Y no por súbito menosprecio de la cultura, sino precisamente por su más alta estimación. Cuando se la ve funcionar de cerca, se tiene tan fuerte sensación de su eficacia que, a la vez, se siente el temor de no dejarla en manos inexpertas; de igual modo que no entregamos un fusil de precisión a un niño o a un vesánico.

Hay que enseñar. Pero hay que enseñar bien, con los ojos abiertos. La paradoja y el peligro consisten en que, sin una cultura universitaria media del ambiente, la enseñanza inicial puede ser explosiva. En contra de la frase hecha de que hay que empezar los edificios por los cimientos, el edificio de la cultura se ha de comenzar por el tejado. Sólo muchas generaciones de hombres instruídos en la Universidad prepararán a los hombres del montón para la cultura. Antes de esto, enseñar es inútil o perjudicial; es, dice Huarte, *coger agua en un cesto.* Y nosotros, los españoles de ahora, tenemos que evitar ese peligro: tenemos que evitar que todo nuestro entusiasmo se reduzca también a coger agua en un cesto.

El pecado de la blandura.

Sin el temperamento ajustado a la modalidad de la ciencia que se estudia, de nada servirán la aplicación y la buena voluntad del muchacho y los afanes de sus maestros. Éstos no pueden alumbrar el agua de la ciencia en quienes no la lleven subterránea. Como decía Sócrates, la partera no podrá hacer parir a la mujer si ésta no está embarazada. Además, el mozo deberá, para llegar a sabio, luchar con aspereza, con dolor, para conseguirlo. He aquí otra eterna y eternamente olvidada verdad.

Es preciso, puntualiza Huarte, que el estudiante salga de su casa, del regalo de la madre, de los hermanos y de los amigos. En el ambiente muelle del hogar es difícil el sacrificio del estudio, y sin sacrificio no hay estudio verdadero. Por eso, añade el estudiante que nació en Salamanca debe cursar en Alcalá de Henares, y el que vive en Alcalá, matricularse en Salamanca. Lejos, pues, de la blanda caricia familiar. Se aprende siempre con dolor. Y éste es el sentido de las palabras del Génesis: "Sal de tu tierra —dijo Dios a Abraham—, sal de entre tus parientes y de la casa de tu padre y ven al lugar que yo te señalaré, en el cual engrandeceré tu nombre". Pero, después de leer las santas palabras, las dejamos que vuelen sin hacerlas caso, y queremos para nuestros hijos el fanal y la jaula de oro. Todos hemos pecado de blandura; no hemos querido más que la molicie para nosotros y para los nuestros, y ahora vienen tiempos que nos impondrán el rigor para nuestros hijos; y para nuestros pueblos. La benevolencia será castigada con pena más grave que la prevaricación en esa edad de hierro a la que estamos todos, indefectiblemente, abocando.

Máximas pedagógicas.

Con máximas de Huarte se podría formar un catecismo de la enseñanza eficaz. El maestro —dice— debe tener claridad y método en el enseñar. Nada más: claridad, sin brillantez, que, como tantas veces he dicho, oscurece la claridad. Y método, prescindiendo de la retórica, que es antimetódica. Decía Stendhal que el hombre verdaderamente elegante es aquel que al salir de una reunión nadie pueda decir cómo estaba vestido. Del mismo modo, podemos añadir que el buen maestro es aquel que al terminar su lección nadie pueda decir si es un buen o un mal orador. Ni brillante ni torpe. Simplemente claro y metódico, como la luz de la penumbra, que no hiere ni fascina, y es la que verdaderamente alumbra.

El maestro, dice más adelante, aprende de los discípulos buenos mucho más de lo que éstos aprenden de su profesor. También es ésta una verdad incomparable. Yo he enseñado durante cerca de veinte años, sin obligación oficial. Y cuando me preguntaban que por qué lo hacía, respondía siempre: "Para aprender." Los que me lo preguntaban solían ser maestros oficiales que iban sólo de raro en raro a clase, con lo cual salían ellos perdiendo mucho más que sus discípulos. El faltar a clase no es, en el maestro, pereza ni descuido: es miedo a aprender.

Otro consejo admirable del médico navarro es el de que los estudiantes "no tengan más que un libro que contenga llanamente la doctrina, y en éste estudie; y no en muchos libros, por que no se desbarate y confunda". A medida que pasan los años y aumenta mi experiencia pedagógica, me convenzo más y más de la exactitud de esta sentencia. Propende el estudiante aplicado, sobre todo en nuestras disciplinas, a manejar desde el principio varios libros, los más completos y modernos; y, además, revistas, en las que se reparte, cada mes o cada semana, la última novedad. Y esto es malo

Porque el cultivo precoz del ramaje científico se hace a costa de que las raíces "no se cuecen" en el entendimiento. Con tanta vehemencia lo creo así, que yo aconsejo, no ya a los estudiantes, sino a los profesores y a los sabios —si a éstos los pudiera aconsejar— que tengan en su mesilla de noche el epítome elemental en que aprendieron las primeras nociones de la Ciencia, para refrescar cada noche la espuma de la sabiduría reciente y complicada de hoy con la vena clara y tranquila de la ciencia de ayer y de siempre. Lo que aprendemos el primer día que aprendemos cada cosa es siempre lo más importante. Y eso es lo que hay que saber bien, aunque luego no nos den matrícula de honor.

Edad del entendimiento y de la responsabilidad.

Para Huarte es preciso tener en cuenta la edad del entendimiento. Porque en cada etapa de esta edad será mayor o menor su aptitud para producir y para ser eficaz. Desde los treinta años a los cincuenta es cuando el hombre alcanza su plenitud creadora. Y también la plenitud de su responsabilidad. Y esto es importante, porque en el curso de la vida el hombre puede y debe cambiar de ideas, si no es un marmolillo; y son las ideas sostenidas en esta edad madura las dignas de crédito, las que definen su personalidad, y no las de la juventud sin discreción o las de la vejez sin coherencia. Los historiadores no suelen tener esto en cuenta y juzgan a los grandes personajes por el conjunto de su vida, con una sola responsabilidad, y a veces por sus últimos hechos, que son los que vemos más de cerca; y es un craso error. Los hombres hacen la Historia durante la madurez; pasada ésta, no son los hombres, sino los microbios de los hombres, los que hacen esa Historia. ¡Con qué dramáticos ejemplos de nuestra vida contemporánea podría demostrarlo! Acaso lo haga algún día.

Mas la edad es un término muy variable. Huarte habla, con razón, de los treinta a los cincuenta años como los propicios para la sazón del entendimiento; pero es sólo en los hombres medios. Hay otros cuya plenitud empieza pronto, y, por lo común, se extingue en ellos rápidamente. Otros, a la inversa, tienen una madurez tardía, pero muy prolongada. Es raro —casi monstruoso— un hombre como Menéndez y Pelayo, que en la adolescencia empieza su obra madura y la termina de viejo. Lo corriente es que el que empieza pronto a crear termine pronto su obra, e incluso se muera; y entonces, equivocadamente, se dice que es un malogrado; cuando es sólo un corredor que llegó antes de tiempo y que descansa antes que los demás.

Gran error, pues, el juzgar a todos los hombres por el rasero común de la edad. Unos alcanzan su madurez siendo muchachos, y el prejuicio de no hacer caso de los mozos hace que se les deje fuera de los puestos eficaces, reservados para los hombres graves, con lo que muchos se pierden para el bien de la sociedad. Otros hay, en cambio, que no alcanzan su madurez generadora hasta muy tarde. Conozco innumerables ejemplos de personas tenidas por incapaces que son, simplemente, organismos de evolución retrasada. Cuando les llega el momento de ser útiles, son casi viejos; están, quizá, a la puerta de la hora oficial de la jubilación, y se pierden también para el provecho de sus semejantes.

Pero esto no se puede arreglar. La edad tiene un prestigio oficial y una mitología popular que no se modificarán fácilmente. Y desgraciados de los hombres cuyo corazón y cuyo cerebro no se desenvuelven con arreglo a la cronología corriente, porque serán inexorablemente atropellados por los hombres medios, los del formulario, los de la rutina oficial.

Crítica de la intervención llamada divina.

Otro problema que el gran navarro se propone es el de las causas de la tendencia insensata que tienen muchas gentes a achacar a Dios los sucesos de la vida cotidiana. Claro está que de Dios viene el resorte último de todas las cosas. Pero éstas no se mueven tocadas directamente por el dedo divino más que en el caso del milagro. Fuera de él, cada suceso tiene una razón natural que el hombre debe aspirar a conocer, sin achacarlo, por comodidad, a milagrería. Ya no hay milagros —dice Huarte—: los hizo Dios a su tiempo para que los hombres se enterasen de su poderío, pero ya no los torna a repetir.

Sin embargo, cada día oímos a nuestro lado que este hombre o esta mujer invocan la intervención de Dios para explicar sucesos de su conveniencia. Y ello, ¿por qué? En primer lugar, por comodidad. Somos perezosos, y huímos, sin darnos cuenta o dándonosla, de la línea de mayor resistencia. Para realizar esta obra necesitamos trabajar, en silencio, con heroica paciencia, durante mucho tiempo. Es mucho más fácil pedir a Dios que nos resuelva, puesto que es omnipotente, el conflicto, de tal manera que nuestro trabajo quede reducido a darle las gracias.

Sólo los hombres de profunda hombría —los que más se parecen a su Creador— saben ser dignos de aquélla y de éste con la fruición y la alegría del esfuerzo. El hombre hondamente religioso rechazaría el milagro, si en su mano estuviera, porque se da cuenta de que la forma perfecta de servir a Dios es creando, a imagen suya, la realidad favorable con su ímpetu; y no pidiéndole favores.

Otra causa impele también a muchos a creer en milagrerías, y es la vanidad. Quien supone que es Dios el que ha resuelto uno de los trances de su vida, reconoce implícitamente que Dios le distingue, con la más excelsa distinción, sobre los demás seres humanos. Tal vez nos cuente el prodigio de que ha sido objeto, con la vista baja y con voz humilde; pero allá, en lo recóndito de su pecho, está encendida la brasa de la soberbia. Y en el mismo caso está aquel que en su desesperación nos dice: "Dios me ha abandonado"; con lo que supone una ira especial del Ser Supremo, disparada hacia él, como enemigo elegido, que es aún elección más fina —distinción más alta— que la del favorecido por la divina gracia; pues a Dios le suponemos más propicio a ceder a la bondad que al castigo.

Ambas actitudes suponen, por lo tanto, una satánica arrogancia; y, desde luego, una gran tontería. Por eso concluye profundamente Huarte: "El indicio de que yo más me aprovecho para descubrir si un hombre no tiene el ingenio que es apropiado para la filosofía natural, es verle echar todas las cosas a milagro, sin ninguna distinción."

La inteligencia y la dignidad de la jerarquía humana exigen, en suma, confiar en Dios, pero no trasladar a él la responsabilidad de nuestra obra. Dice el refrán que "A Dios rogando y con el mazo dando"; pero lo cierto es que basta dar con el mazo; porque cuando se hace con gana y se sacan chispas y estruendo sobre el yunque del deber, la oración puede ahorrarse; porque no hay ninguna oración más grata que el trabajo a la Divinidad.

Temperamento y virtud.

El hombre es esclavo de su temperamento, y, por lo tanto, a veces, irresponsable, aun no estando loco, de sus actos; he aquí otra proposición audaz en los tiempos de Huarte, y que aun hoy escandaliza a muchos cuando los médicos, ante los tribunales de Justicia, tratan de atenuar, con razones biológicas, la culpabilidad de un delincuente. Estos días he leído que en la vista de un proceso por homicidio un perito médico hizo su declaración técnica sobre la irresponsabilidad del asesino, y el público se indignó con tal violencia que una señorita que formaba parte del Jurado y que participaba de la común indignación tuvo que levantarse a declarar que se haría justicia por encima de lo que había dicho el doctor. Y es de notar el que fuera una mujer la que se oponía a la misericordia del galeno, porque son ellas, y no los hombres, las que, comúnmente, se dejan ablandar en el acto de hacer justicia: por lo cual suelen ser más justas que los hombres. Porque la justicia está siempre más cerca de lo que se cree de la compasión.

Todo hombre es una lucha viva entre dos tendencias contrarias, una buena y otra mala. No hay alma humana que no aspire, por negra que nos parezca, a la perfección. Pero no hay cuerpo humano, por perfecto que sea, que no tienda a la sensualidad. Y el error, el vicio y el crimen son sólo el triunfo del apetito sobre las limitaciones que le impone la ética. La virtud o el pecado son, por lo tanto, hijos de un juego de la carne; y actuando sobre ésta podemos aumentar la virtud y disminuir los riesgos de pecar. Ya decía Galeno que los filósofos morales hacen mal en no aprovecharse de la Medicina. También hizo mal la señorita del Jurado.

Dichoso el que tiene frialdad en el temperamento, porque a él le será fácil conservar sus virtudes en paz. Y por eso, algunos escépticos se han atrevido a decir que la virtud, más que mérito, es temperamento. Pero el temperamento vicioso, por el mucho calor sensual, se puede modificar, enfriándolo con el ascetismo. El ayuno y la castidad, dice Huarte, pondrán al hombre ardiente flaco y amarillo, y tan diferente de lo que solía ser, que el que antes se perdía por las mujeres y por comer y beber ahora le da pena y dolor oírlos mentar.

Es difícil hallar en los libros de ascética consejos tan severos como en este *Examen de Ingenios*, que condenó la Inquisición. ¡Y qué español, qué noblemente castellano su elogio del ayuno y de la pobreza! Comer poco, meditar, dormir en cama dura o sobre el santo suelo, ir vestido con modestia suma, todo ello ennoblece el alma y agudiza el entendimiento. Pero el hombre es esclavo de su apetito y, salvo casos excepcionales, no se decide a abandonar los goces terrenos, aunque el cerebro se enfríe y el alma se ponga en peligro. De poco sirven los consejos del médico o los frenos del sacerdote. Y entonces tiene que intervenir Dios, desencadenando sobre la humanidad enviciada el dolor de las crisis sociales: la revolución o la guerra. El dolor colectivo es un providencial cedazo en el que se detienen los egoístas impenitentes, los incapaces de encontrar, en el sacrificio, su perfección. Pero otros hombres, muchos, pasan purificados a través de sus agujeros y reavivan por unos años la simiente de la especie noble, la que mantiene y perfecciona el alto espíritu humano, que sólo florece en el dolor.

El clima, la edad y el ingenio.

Como del temperamento depende la calidad del ingenio de los hombres, he aquí por qué el ingenio es distinto en las diferentes naciones, que, por razón de su clima y sus costumbres, influyen distintamente sobre el temperamento. Y aun dentro de una nación, las diferentes regiones ocasionan ingenios regionales distintos. Así, sobre todo, en España, gran capa gloriosa hecha de trozos bizarros de colorines diferentes. ¿Cómo han de ser iguales el vasco esquemático y el andaluz flúido, o el catalán sensual y el hombre seco y austero que lucha con el rigor de la meseta de las dos Castillas? ¡Diversidad profunda, biológica, la de los trozos que forman nuestra España: en ella está la razón de su perpetua inquietud y originalidad, pero también la razón de su eterno resurgimiento y de su unidad inquebrantable!

Nos explica también el distinto temperamento que corresponde a cada edad, el ingenio diverso del ser humano en cada etapa de su ciclo vital. El niño es blando y tierno, y por ello caritativo, liberal, casto y humilde. En la adolescencia, el temperamento se va templando y el ingenio se hace moldeable como la cera: es la edad eminentemente pasiva y, por lo tanto, la de la responsabilidad máxima para los que tenemos la misión de educar; y la tienen no sólo los pedagogos, sino todos los que somos padres: más aún los padres que los pedagogos. El pedagogo no puede hacer otra cosa que dar a sus discípulos un traje de bazar, cuyas mangas les vendrán cortas a unos y a los otros largas. El traje justo, a la medida estricta del alma del adolescente, es sólo el padre —los padres— quien puede cortarlo y rehacerlo, una y mil veces, como lo exige la perpetua evolución del hombre que todavía no lo cs. Cuando se habla tanto de escuelas, se deja de hablar de la acción paterna, que es la esencia y que todos tenemos olvidada, por atender a las cosas de fuera, que siempre son de secundaria categoría. Muchas ligas de padres de familia debían preocuparse no tanto de las escuelas como de la eficacia pedagógica de sus propios hogares. Educar bien a un hijo es trascendental, porque es influir en la educación de muchos hijos de los otros. No hay nada más dinámico, más ejemplar, que una conducta recta; y la nuestra y la de los que nos siguen en la vida, que es nuestra también, se modela, quizá para siempre, en esos años infinitamente críticos de la adolescencia y en el molde individual o intransferible del hogar.

Viene después la juventud, que Huarte coloca, exactamente, desde los veinticinco a los treinta y cinco años, y no antes, como creen los mozalbetes españoles, los que desde los quince años, o menos todavía, claman de continuo por los derechos de su juventud. Por sus derechos, y rara vez por sus deberes. El temperamento juvenil es seco y caliente: por ello el joven es propenso a la violencia y a la rebeldía. Y por ello también debemos disculpar su violencia y encauzar su rebeldía. Sin ellas, el joven dejaría de serlo. Decía un moralista español: "Si quieres que el poeta no sea insensato, es que no quieres que haya poetas." Del mismo modo podríamos nosotros decir: "Si quieres que la juventud sea sensata, es que no quieres que haya jóvenes." Es su temperamento, y, por lo tanto, la esencia suya y su razón de ser. Ahora bien; el deber nuestro es conducir la rebeldía juvenil, no adonde queramos nosotros, porque entonces la suprimiríamos, sino adonde ella vaya; mas encauzada y con rigurosa disciplina. Hay, en efecto, una disciplina de la rebeldía. Es la más difícil de todas. El olvidarla ha malogrado a muchas juventudes; y a casi todas las revoluciones; aun a las justas.

La edad siguiente, la de la madurez, la de "la

consistencia", como dice Huarte, es la etapa de la prudencia y de la creación, y sobre todo la de la comprensión y la tolerancia. Al hombre maduro que no esté dispuesto a explicárselo todo, lo bueno y lo malo, lo que le favorece y lo que le contraría, ¿de qué le sirve el tesoro de su madurez? Es la edad en que los pecados empiezan a ser difíciles y en que, por consiguiente, hay que envanecerse poco de no cometerlos; y hay que pensar entonces que si los jóvenes no son tan virtuosos es porque el serlo les cuesta más trabajo que a los dómines sin juventud. De ahí también el mayor mérito de la virtud, cuando la ejercita el joven, sin menoscabo de su fecunda rebeldía. Un moralista profundo, aunque un tanto pedestre de expresión, les decía, por esto, con total exactitud, a los mozos:

Apresúrate a ser bueno,
que cuando te nazcan canas
ya no tendrá ningún mérito.

Y llega la vejez, y con ella el temperamento se enfría y se seca. Los instintos se aflojan y, en cambio, el entendimiento brilla con toda su pureza. "El consejo, del viejo", dice con razón el refrán. Pero a veces el anciano nos desconcierta con su mala pasión. Aristóteles describe, con detenimiento implacable, cuáles son los vicios que pueden nacerle al alma a favor de la senectud: la cobardía, la avaricia, la constante sospecha, la mala esperanza, la falta de pudor, la incredulidad y pesimismo. Pero los viejos de ahora son, sin duda, mucho mejores que los del tiempo aristotélico. Ya sólo vemos en el teatro ese anciano ceñudo, de alma seca y egoísta. El hombre de hoy es mejor, en todas sus edades y también en ésta de la senectud, en la que el temperamento, en efecto, es propicio al brote de muchas malas hierbas, pero en el que basta un poco de amor, de los que no son viejos hacia los viejos, para que florezca también la gran virtud, típica de este período: la adaptación. Cuando el viejo es malo, como Aristóteles nos lo pintaba, se debe, más que a él mismo, a la falta de caridad de los jóvenes. Si éstos guardan el mínimo respeto que la ancianidad merece, la cabeza blanca sabe llevar con dignidad su prestigio. Escribió el Padre Feijóo su página más bella sobre la conducta de los viejos; y no cuando era joven todavía, sino cuando había pasado ya los ochenta años y estaba próximo a morir: por lo que tiene el valor que no podemos conceder a otras apologías de la vejez, escritas a los cuarenta años o en plena juventud. Es este ensayo memorable del gran benedictino como un catecismo de la adaptación del anciano. Y después de describir con nobilísimas palabras su conducta de hombre provecto, anota que cuanto ha dicho no es sólo a favor de los viejos, sino también de los mozos; porque éstos, dice, serán tanto más complacientes y obsequiosos con el anciano cuanto éste se muestre más tolerante y adaptado a su edad.

Esto es verdad; pero lo es más aún lo contrario, a saber: que el viejo será tanto más dulce, tanto menos hosco y egoísta, cuanto más suave sea el ambiente de afecto que le circunda. El viejo, como el niño, son espejos pasivos de su ambiente: buenos o malos, por reflejo de la bondad o la malicia de los que están en el centro de la vida y en el centro de la responsabilidad.

El cabello y el ingenio.

Con precursora sagacidad meditó Huarte sobre la correspondencia entre la forma humana y la calidad del ingenio. Lo primero que hemos de examinar a aquel a quien queremos conocer es la cabeza. Los contornos de ésta son molde fiel de su contenido, y el ojo avezado del médico sabe, sin más que ver al hombre sin sombrero, los quilates de su entendimiento. De aquí que no nos sintamos tranquilos ante un semejante que no descubre su cabeza. No es mera razón de artificiosa cortesía: es que, con el sombrero puesto, no nos podemos franquear con un desconocido. De aquí, asimismo, el que la moda actual de ir siempre descubiertos los jóvenes sea, para mí, indicio de la valiente franqueza de las nuevas generaciones. Por eso también los calvos dan una impresión de lealtad, que apreciamos instintivamente, aunque no la consignamos en nuestra conciencia. No en vano el prototipo del hombre criminoso es aquel cuyo pelo arranca de las cejas. La noble frente desnuda es, en cambio, símbolo de la sabiduría; de la sabiduría clásica, que no es sólo saber, sino también bondad. He conocido a un hombre excelentísimo que se quejaba del ademán de sospecha con que era acogido en todas partes, y yo le decía en serio, y él lo tomaba a broma, que era por usar un bisoñé —que es peor, por más engañoso, que el sombrero— con el que pretendía disimular su ancha calvicie; y lo que disimulaba era su alma infantil y generosa. Al fin, con los años, renunció a su peluca y, a partir de entonces, nadie volvió a mirarle con recelo. Creo, finalmente, que el concepto que en algunas épocas de la Historia se ha tenido de la doblez femenina en gran parte se debe a que es difícil conocer bien a quien no se le puede ver, con desembarazo, la cabeza. Obsérvese que los períodos de la gran coquetería, de la mujer considerada como enemigo del hombre, han sido los de los peinados complejos, y no los de las modas de cabello corto y el tocado sencillo. Ahora la mujer nos parece más leal, en gran parte porque se peina con más sencillez.

Se ha dicho, por esta descripción de la forma del cráneo en relación con las modalidades del alma, que Huarte fué uno de los fundadores de la frenopatía. Y no es cierto. Porque Huarte hizo del examen de la cabeza un noble arte, de ojo avizor y de conjunto; y los frenópatas quisieron convertir esto en una ciencia exacta, lo cual es ridículo. Yo conocí a un ciego, muy amoroso, que me decía que él, con su tacto, percibía una belleza de la mujer, la mayor de todas, que es la forma de cabeza, que pasa inadvertida al amor visual de los sanos. La forma es el esquema del alma, y puede ser, es a veces, la fuente del amor o de la antipatía. De esto al compás y a las medidas de un frenópata hay la misma diferencia que entre el que se conmueve de súbito ante un paisaje y el que espera, para saber si le ha de gustar, a medirlo con los cánones de la estética de su guía de viajero.

La cabeza ha de ser grande, sin perder la proporción. Pero, en cambio, el cuerpo debe ser enjuto. Ya dijo Hipócrates que hombre de mucha carne y mucha grasa poseerá difícilmente la sabiduría, y los compara al cerdo, que no en vano es el animal más gordo y a la vez el más estúpido. Pero Huarte no acepta el aforismo sin una distinción muy esencial: no todos los gordos son iguales. Hay, dice, dos clases: unos muy carnosos y sanguíneos, y otros muy engrasados y linfáticos. Obesos rojos y obesos blancos, como decimos ahora. Pues bien; a los primeros cumple la sentencia hipocrática de la estulticia, pero no a los segundos, a los fofos —"gordos de pringue" los llama él—, que pueden tener mucho ingenio, "ingenio agudísimo". Y todos sabemos que es verdad.

La observación del cabello es de la mayor importancia para colegir la calidad del alma. Ya hemos aludido a la importancia de la calva: la calvicie indica fuego en el cerebro, entendimiento recio, pero mala memoria y mala imaginación. El cabello persistente es indicio de imaginación y excelente memoria, pero de flojo entendimiento. De aquí la diferencia entre el cráneo de un hombre del Sur y otro del Norte, por dentro y por fuera. Un meridional, un español, por ejemplo —habla siempre Huarte— es con frecuencia calvo y es inteligente, pero desmemoriado y poco imaginativo. Por eso, por su poca imaginación, suele el español ser tan conservador. El hombre norteño, el escandinavo o el centroeuropeo, por ejemplo, es menos veces calvo, y es imaginativo, memorioso y no tan inteligente. He aquí también la razón de por qué el español es excelente teólogo, pero malo para la mecánica y para saber las lenguas. Huarte refiere que en el Concilio Tridentino se distinguió tanto en la disputa un teólogo español, que el Papa Pío IV le llamó para conocerle; pero el teólogo hablaba pésimamente el latín, achaque común a casi todos los españoles. Por el contrario, el europeo septentrional es apto para las lenguas y para la mecánica: hacen relojes, dice nuestro autor, y son capaces de subir el agua a Toledo.

Del vello corporal también se extraen datos muy importantes: el hombre de tronco muy velludo está dotado de gran pasión hacia la mujer; el de cuerpo lampiño es menos enérgico en el amor.

La risa y el ingenio.

Hay, sin embargo, una señal más segura que el examen del cabello para reconocer el ingenio, que es la risa. Los hombres de gran imaginación pueden ser muy graciosos, pero no se ríen. El que todo lo celebra a carcajadas está, sin duda, falto de imaginativa. La risa supone que el cerebro se sorprende del dicho, y esto no ocurre cuando la imaginación está despierta. Habría que hacer a esto una objeción: el español, según hemos visto, es clasificado por Huarte como de imaginación escasa, y, sin embargo, es el pueblo que menos se ríe del mundo, sobre todo si se le compara con las gentes centroeuropeas, propensas a la ruidosa hilaridad. Cuando yo era estudiante acudíamos, en una población de Alemania, a un café muy popular, los españoles e italianos, reuniéndonos en dos mesas, entre las ocupadas por los alemanes. Y un mozo viejo que nos servía una noche de gran controversia, a voces, por no sé qué asunto de política, nos dijo esto: "A los meridionales se les conoce porque gritan mucho y se ríen poco." Aquel buen hombre estaba, en este punto, más cerca de la verdad que Huarte.

Oratoria y lectura.

El comentar los problemas de sabor actual que plantea el gran ingenio que estamos recordando sería tan largo como su propio libro. Fuerza es terminar. Pero no quiero olvidar sus notas sobre los oradores. El orador es, ante todo, un actor, y como tal, no convence con el razonamiento, sino que conmueve con los accesorios de la oratoria; accesorios que son, por lo tanto, esenciales, tales como "el meneo y gestos" con que se acompaña el discurso, las subidas y bajadas de la voz, el enojo y el apaciguamiento, el hablar despacio y otras veces de prisa, el encoger los brazos y desplegarlos, "el reír y llorar y dar una palmada en buena ocasión". Sin esto no hay oratoria; el mismo Cicerón, orador máximo, lo reconocía. Con esto sólo, con el grito, la palmada y el meneo, puede haber oratoria, aun diciendo vaciedades. Un buen discurso no se sabe nunca cómo es, hasta que se lee. Pero siendo malo, no resistiendo a la lectura, puede derribar a un gobierno o producir una revolución. Hablaba yo una vez de todo esto con don Manuel Cossío, y me hacía observar, para corroborarlo, que al salir de oír a un orador nadie pregunta: ¿qué ha dicho?, sino: ¿cómo ha estado? Es decir, lo mismo que se pregunta de un torero; como si la oratoria fuera acción, y no pensamiento.

Este aprecio de la oratoria por el exterior y no por el sentido es, desde luego, mucho más estricto y extendido en los países del Sur que en los septentrionales. Lo prueba la hostilidad que hay en España por la lectura en público, que es, sin embargo, insustituíble, cuando no se trata de enseñar o de arrastrar detrás de sí a una multitud. Para enseñar hay que hablar, y hablar sin retórica, sin otro objeto que ser claro y estar dispuesto a sacrificar la brillantez, que oscurece las ideas; repitiendo pues, insistiendo cuando sea preciso. Para conmover a un auditorio hay que subirse a la tribuna y seguir las aparatosas máximas ciceronianas que acabo de comentar. Mas, en cambio, para pensar ante otros hombres hay que haber pensado antes y limado y pulido el pensamiento con el papel de la cuartilla delante, espejo que descubre y extrae lo más hondo de nuestra alma. El escritor de raza se confiesa con su alma misma reflejada en el papel. Y esta confesión escrita, que luego se va a carear con el alma de los oyentes, no puede más que leerse, a menos que se recite de memoria, para lo que se necesita tener mucha; y tener, además, tiempo para ejercitarla.

El español no lo entiende así. Cuando algún diputado, en el Congreso, ha intentado leer cosas serias y meditadas, le han obligado a sentarse los mismos que oyen horas y horas una improvisación incongruente y vacía. Cuenta Huarte que el maestro insigne Antonio Nebrija, cuando se hizo viejo, perdió su memoria y tenía que leer sus lecciones. En gracia a su sabiduría le perdonaban sus oyentes; pero sólo a él. Al morir, la Universidad de Alcalá encomendó el sermón fúnebre a un famoso predicador, el cual escribía sus oraciones, como tantos otros, y las recitaba, después de aprendidas, desde el púlpito. Pero en esta ocasión, por falta de tiempo y por seguir el ejemplo del difunto, comenzó a leer la apología, y no la pudo terminar, pues los murmullos y voces de protesta de los oyentes se lo impidieron.

Un libro y un hombre.

Para ocasión más propicia dejo el estudio completo de las ideas de Huarte, que, en cierto modo, me creo obligado a hacer, porque —ya lo he dicho— puede considerarse como el precursor en España, y, en cierto modo, como el precursor universal de los problemas de la constitución en su relación con el espíritu, que han preocupado tantas horas de mi vida de médico. La ciencia de las secreciones internas, a cuya formación ha colaborado mi modesto esfuerzo, pone hoy, por otra parte, una confirmación a muchos de los puntos de vista que el ojo sagaz del galeno renacentista percibió desde la lejanía de su época. Y, en verdad, pocos quehaceres hay más gratos al espíritu del hombre de ciencia y pocos ejercicios más útiles al entendimiento que éste de renovar, con las interpretaciones modernas, los hechos observados por los que nos precedieron, andando con paso audaz de profetas, por el mismo camino que nosotros volvemos a recorrer.

El libro de Huarte es un suceso excepcional en la ciencia española. Confuso a veces, contradictorio otras, con exceso de prejuicios filosóficos sobre la parte natural, deja, no obstante, escapar de cada una de sus páginas la chispa súbita o la llama magnífica del genio.

Cuando se piensa en la vida de este hombre singular, se rinde nuestra admiración sin reservas. No conocemos apenas los detalles de esa existencia, pero no importa. El *Examen de Ingenios* nos permite imaginarla con mayor precisión que en la más circunstanciada biografía. Huarte escribió solamente este libro. En él, pues, está calcada su existencia total, llena de meditaciones y de inquietudes. Fué, sin duda, un ingenio superior a su época. Fué, con certeza, un hombre bueno, porque de todo el volumen de su obra, donde dejó su espíritu, no rezuma ni una gota de acritud para nadie. Sólo nombra, dice acertadamente Sanz, su mejor biógrafo, a aquellos a quienes puede elogiar.

De pueblo en pueblo ejercía su medicina; desde el Pirineo que le vió nacer hasta las campiñas andaluzas. Y mientras examinaba a sus enfermos, el sagaz filósofo escondido detrás del profesional rutinario enriquecía su saber, y meditaba luego con calma sus ideas en las largas horas de viaje, como Erasmo, mientras iba de un caserío a otro lejano, caballero en su mula. Al fin, el libro salió de las prensas, y en torno suyo surgió el rumor de la alabanza y a la vez el griterío del escándalo y de la persecución. Sin duda lo esperaba, porque sin esta doble compañía no entra ninguna obra de los hombres en la inmortalidad; y al leer estas páginas, ya multiseculares, se advierte en ellas, junto con una noble modestia, la serenidad que rezuma de aquello que se dice sabiendo que van a oírlo los hombres de todos los tiempos.

Y está bien que demostremos que seguimos oyendo su voz nosotros, sus hermanos en la ciencia, en la inquietud ante el misterio de la vida y en la fe inextinguible en España.

FIN DE

TIEMPO VIEJO Y TIEMPO NUEVO

ÍNDICE

MENÉNDEZ Y PELAYO Y ESPAÑA

(RECUERDOS DE LA NIÑEZ)

JUAN DE DIOS HUARTE

(EXAMEN ACTUAL DE UN EXAMEN ANTIGUO)

Páginas

ÍNDICE DE AUTORES

DE LA

COLECCIÓN AUSTRAL

ÍNDICE DE AUTORES DE LA COLECCIÓN AUSTRAL

HASTA EL NÚMERO 1376

*** Volumen extra**

ABENTOFÁIL, Abuchafar
1195-El filósofo autodidacto.
ABOUT, Edmond
723-El rey de las montañas. *
ABRANTES, Duquesa de
495-Portugal a principios del siglo XIX.
ABREU GÓMEZ, Ermilo
1003-Las leyendas del Popol Vuh.
ABSHAGEN, Karl H.
1303-El almirante Canaris.*
ADLER, Alfredo
775-Conocimiento del hombre. *
AFANASIEV, Alejandro N.
859-Cuentos populares rusos.
AGUIRRE, Juan Francisco
709-Discurso histórico. *
AIMARD, Gustavo
276-Los tramperos del Arkansas. *
AKSAKOV, S. T.
849-Recuerdos de la vida de estudiante.
ALCALÁ GALIANO, Antonio
1048-Recuerdos de un anciano. *
ALCEO y otros
1332-Poetas líricos griegos.
ALFONSO, Enrique
964-...Y llegó la vida. *
ALIGHIERI, Dante
875-El convivio. *
1056-La Divina Comedia. *
ALONSO, Dámaso
595-Hijos de la ira.
1290-Oscura noticia y Hombre y Dios.
ALSINA FUERTES, F., y PRELAT, C. E.
1037-El mundo de la mecánica.
ALTAMIRANO, Ignacio Manuel
108-El Zarco.
ALTOLAGUIRRE, M.
1219-Antología de la poesía romántica española. *
ÁLVAREZ, G.
1157-Mateo Alemán.
ÁLVAREZ QUINTERO, Serafín y Joaquín
124-Puebla de las Mujeres. El genio alegre.
321-Malvaloca. Doña Clarines.
ALLISON PEERS, E.
671-El misticismo español. *
AMADOR DE LOS RÍOS, José
693-Vida del marqués de Santillana.
AMOR, Guadalupe
1277-Antología poética.
ANACREONTE y otros
1332-Poetas líricos griegos.
ANDREIEV, Leónidas
996-Sachka Yegulev. *
1046-Los espectros.
1159-Las tinieblas y otros cuentos.
1226-El misterio y otros cuentos.
ANÓNIMO
5-Poema del Cid. *
59-Cuentos y leyendas de la vieja Rusia.
156-Lazarillo de Tormes. (Prólogo de Gregorio Marañón.)
337-La historia de los nobles caballeros Oliveros de Castilla y Artús Dalgarbe.
359-Libro del esforzado caballero don Tristán de Leonís. *
374-La historia del rey Canamor y del infante Turián, su hijo. La destruición de Jerusalem.
396-La vida de Estebanillo González. *
416-El conde Partinuples. Roberto el Diablo. Clamades. Clarmonda.
622-Cuentos populares y leyendas de Irlanda.
668-Viaje a través de los mitos irlandeses.
712-Nala y Damayanti. (Episodio del Mahabharata.)
892-Cuentos del Cáucaso.
1197-Poema de Fernán González.
1264-Hitopadeza o Provechosa enseñanza.
1294-El cantar de Roldán.
1341-Cuentos populares lituanos. *
ANZOÁTEGUI, Ignacio B.
1124-Antología poética.
ARAGO, Domingo F.
426-Grandes astrónomos anteriores a Newton.
543-Grandes astrónomos. (De Newton a Laplace.)
556-Historia de mi juventud. (Viaje por España. 1806-1809.)
ARCIPRESTE DE HITA
98-Libro de buen amor.
ARÈNE, Paul
205-La cabra de oro.
ARISTÓTELES
239-La política. *
296-Moral. (La gran moral. Moral a Eudemo.) *
318-Moral a Nicómaco. *
399-Metafísica. *
803-El arte poética.
ARNICHES, Carlos
1193-El santo de la Isidra. Es mi hombre.
1223-El amigo Melquiades. La señorita de Trevélez.
ARNOLD, Matthew
989-Poesía y poetas ingleses.
ARNOULD, Luis
1237-Almas prisioneras. *
ARQUÍLOCO y otros
1332-Poetas líricos griegos.
ARRIETA, Rafael Alberto
291-Antología poética.
406-Centuria porteña.
ASSOLLANT, Alfredo
386-Aventuras del capitán Corcorán. *
AUNÓS, Eduardo
275-Estampas de ciudades. *
AUSTEN, Jane
823-Persuasión. *
1039-La abadía de Northanger. *
1066-Orgullo y prejuicio. *
AVELLANEDA, Alonso F. de
603-El Quijote. *
AVERCHENKO, Arcadio
1349-Memorias de un simple. Los niños.
AZORÍN
36-Lecturas españolas.
47-Trasuntos de España.
67-Españoles en París.
153-Don Juan.
164-El paisaje de España visto por los españoles.